O DIÁRIO DE ANNE FRANK

Pé da letra

16. Oct. 1942 Vrijdag

...l ertusschen door krijgt. Een
...wid, dus hoe gaat er mee?
...ende schrik bekomen,
... Hier is gelukkig nog
... Ik heb vandaag bij den
... Fransche onregelmatige
... precies en vervelend
...wil het graag afmaken.
...s Dierke geslaan mis-
... nog. maar het is vrij-
...ikkelsch. Mama is weer
...e hebben gehoord dat de
... gaan verschuilen, geluk-
... nu Kröner aan het
...g leuk. Nu tot de
...-heij van

Anne Frank

...nder-
...wager
...ig

Lieve Marianne, 18 Oct. 1942 Zondag
gisteren is het
schrijven er weer bij
ingeschoten. Ten eerste
omdat ik de lijst van
Franse werkwoorden wilde
afmaken en ten tweede
omdat ik ook nog ander
werk had. Ik heb weer
2 boeken van Kleiman ge-
kregen, De Arcadia. Dat han-
delt over een reis naar Spit...

He...
Da...
van...
V.J...
Vet...
Ham...
Der...
Die...
Der...
Post...
Der...
Dra...
Wäch...
me...
ik ha...
ande...
ande...
Dui...
ga le...
leze...
trek...
Fluis...
mez...

gelezen, ik vind dat die man leuk schrijft

Dit is een foto, zoals ik me zou wensen, altijd zo te zijn. Dan had ik nog wel een kans om naar Holywood te komen. Maar tegenwoordig zie ik er jammer genoeg meestal anders uit.

Annefrank.

10 Oct. 1942

Zondag.

het meestal, in plaats dat ik voor

Maar dat gaat wel

Diretor
Fábio Kataoka

Coordenação Editorial
Carlos Kataoka

Direção de Arte
Robério Gonçalves

Diagramação de emendas
Jarbas Cristiano Cerino

Revisão e Adaptação de Texto
Suely Paiva

Revisão
Cláudia Soares Cruz e Andressa Maltese

Contato
atendimento@editorageek.com.br

É uma publicação da Editora Geek
Rua Caetano Ruyvo, 33 - CEP 02353-060 - São Paulo - SP

Peter Van Daan

Edith Frank

Margot Frank

Hermann Van Daan

Auguste Van Daan

Hanneli Goslar (Lies)

Albert Dussel

Miep Gies

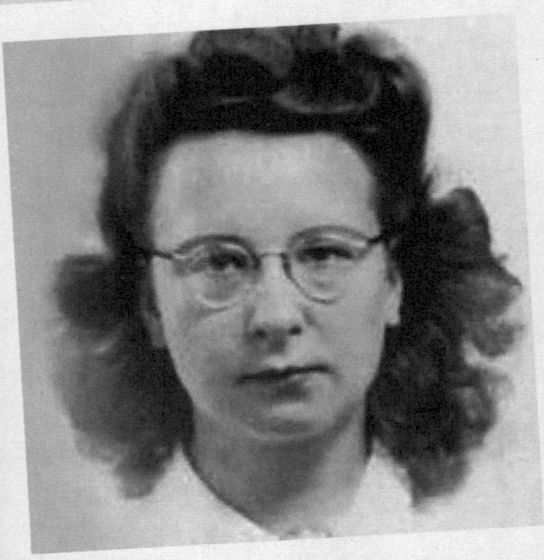
Elli Vossen

Victor Kraler

Bep Voskuijl

Johanes Koophuis

Jan Gies (Henk), marido de Miep

O DIÁRIO

DOMINGO, 14 DE JUNHO DE 1942

Na sexta-feira acordei às seis horas. Pudera, não é para estranhar, afinal era meu aniversário! Mas não queriam que eu me levantasse tão cedo e tive de dominar minha curiosidade até as seis e quarenta e cinco. Depois não me segurei mais. Corri até a sala de jantar, onde o Moortjen, o nosso gatinho, me cumprimentou com muita festa. Depois das sete falei com meus pais e fui com eles para a sala e olhei meus presentes. Foi você, meu diário, que vi primeiro. E era, sem dúvida, o presente mais lindo. Ganhei flores também. Rosas e peônias. Mais tarde, recebi mais flores.

Papai e mamãe me deram muitos outros presentes e os amigos também me mimaram muito naquele dia. Ganhei um jogo chamado "Câmara Escura", muitos doces, um jogo de paciência, um broche e o livro "Os Mitos e Lendas Holandeses" de Joseph Gohen, e ainda "A viagem de férias de Daisy para as Montanhas". Ganhei também presente em dinheiro, que usei para comprar "Mitos Gregos e Romanos". Muito legal!

Depois, Lies veio me buscar para irmos à escola. Para comemorar, distribuí doces para os professores e colegas e depois tivemos aulas.

Por hoje vou terminar. Estou muito contente em ter você, meu diário.

"Foi você, meu diário, que vi primeiro. E era, sem dúvida, o presente mais lindo.

SEGUNDA-FEIRA, 15 DE JUNHO DE 1942

A minha festa de aniversário foi na tarde de domingo. Passamos um filme do Rin Tin Tin, que todo mundo adorou. Falamos muitas bobagens e a gente se divertiu muito. Vieram muitos amigos e amigas. A mamãe sempre quer saber com quem eu quero me casar. Acho que ela ficaria espantada se soubesse que gosto do Peter Wessel. Sempre finjo que não estou nem aí quando falam dele.

Convivo há anos com a Lies Goosens e a Sanne Houtman. Até agora elas tinham sido as minhas melhores amigas. Recentemente conheci Jopie Van der Waal no liceu judaico. Estamos muitas vezes juntas, e hoje ela é a minha melhor amiga. A Lies anda agora mais vezes com uma outra amiga, e a Sanne frequenta outra escola onde arranjou uma amiga.

> “A mamãe sempre quer saber com quem eu quero me casar.

SÁBADO, 20 DE JUNHO DE 1942

Durante uns dias não escrevi nada, porque quis pensar seriamente na finalidade e no sentido de um diário. Tenho uma sensação especial ao escrever o meu diário. Acho que, mais tarde, nem eu nem ninguém achará interesse nos desabafos de uma garota de treze anos. Mas, na realidade, tudo isso não importa. Gosto de escrever e quero aliviar o meu coração de todos os pesos.

O papel é mais paciente do que os homens. Era nisso que eu pensava muitas vezes quando, nos meus dias melancólicos, punha a cabeça entre as mãos sem saber o que fazer comigo. Ora queria ficar em casa, ora queria sair, e a maior parte das vezes, ficava sem sair do lugar. Sim, o papel é paciente! E não tenciono mostrar este caderno com o nome pomposo de diário para ninguém. A não ser que um dia venha a ter um tal grande amigo ou grande amiga.

De resto, a mais ninguém pode interessar o que vou escrever. E pronto! Cheguei ao ponto principal de todas essas considerações: não tenho uma verdadeira amiga! Vou me explicar melhor, pois ninguém pode compreender que uma garota de treze anos se sinta só. É mesmo estranho. Tenho pais simpáticos e bons, tenho uma irmã de dezesseis anos, uns trinta conhecidos ou o que se chama amigos. Tenho uma legião de admiradores que me fazem todas as vontades. Na aula, eles olham meu rosto com um espelhinho de bolso e só se dão por satisfeitos quando eu rio. Tenho parentes, tias e tios muito simpáticos, uma casa bonita e, pensando bem, não me falta nada, senão uma amiga! Com todos os meus numerosos conhecidos, só consigo fazer bobagens ou falar sobre coisas banais. Pode ser que essa falta de confiança seja defeito meu. Mas não há nada a fazer e lamento não poder mudar as coisas.

Por tudo isso é que escrevo um diário. É para eu fazer de conta que tenho uma grande amiga. A este diário, que vai ser minha grande amiga, vou dar o nome de Kitty.

Seria incompreensível a minha conversa com a Kitty se eu não contasse primeiro a história da minha vida, embora sem grande vontade.

Quando meus pais se casaram, o meu pai tinha 36 anos e a minha mãe, 25. Minha irmã Margot nasceu em 1926, em Frankfurt, na Alemanha. E, em 12 de junho de 1929, vim eu. Como somos judeus, emigramos, em 1933, para a Holanda, onde meu pai se tornou diretor da Travis A-G. Essa firma trabalha em estreita ligação com a Kolen 82 Co., no mesmo edifício.

A nossa vida decorria com as aflições de costume, pois as pessoas da família que ficaram na Alemanha não escaparam às perseguições de Hitler. Depois dos *pogroms* de 1938, os dois irmãos de minha mãe fugiram para a América. Minha avó, com 73 anos, veio morar com a gente. A partir de 1940, foram acabando os bons tempos. Primeiro veio a guerra, depois a capitulação, em seguida a entrada dos alemães. E então começou a miséria. A uma lei ditatorial seguia-se outra; e, em especial para os judeus, as coisas começaram a ficar feias. Obrigaram-nos a usar a estrela e a entregar as bicicletas. Não nos deixavam andar nos bondes e muito menos de automóvel.

Os judeus só podiam fazer compras das 3 às 5 horas, e só em lojas judaicas. Não podiam sair à rua depois das oito da noite e sequer ficar no quintal ou na varanda. Não podiam ir ao teatro nem ao cinema, nem frequentar qualquer lugar de divertimentos. Também não podiam nadar, nem jogar tênis ou hóquei, nem praticar qualquer esporte. Os judeus não podiam visitar os cristãos. As crianças judias eram obrigadas a frequentar escolas judaicas. Cada vez saíam mais decretos... Toda a nossa vida estava sujeita à enorme pressão. Jopie dizia a cada passo: "Já nem tenho coragem para fazer seja o que for porque tenho sempre medo de fazer qualquer coisa que seja proibida".

Em janeiro deste ano a vovó morreu. Ninguém imagina o quanto eu gostava dela e que falta me faz. Em 1939, me mandaram para o jardim-escola Montessori. Depois estudei ainda as primeiras séries primárias naquela escola. No último ano, a diretora, a sra. K., era chefe da minha turma. No fim do ano, despedimonos comovidas, e ambas choramos muito. Desde o ano passado, a Margot e eu frequentamos o Liceu judaico. Ela está no quarto ano e eu, no primeiro.

Nós, os quatro da família, ainda não temos muito de que nos queixar. Estamos bem. E assim cheguei ao presente, à data de hoje.

" Por tudo isso é que escrevo um diário. É para eu fazer de conta que tenho uma grande amiga. A este diário, que vai ser minha grande amiga, vou dar o nome de Kitty.

SÁBADO, 20 DE JUNHO DE 1942

Querida Kitty:

Vou começar já. Está tudo tão calmo! Papai e mamãe saíram e a Margot foi jogar pingue-pongue. Também me apaixonei ultimamente por esse jogo. Como nós, os jogadores de pingue-pongue, gostamos muito de tomar sorvetes, o jogo acaba quase sempre numa excursão a qualquer das confeitarias onde os judeus ainda podem entrar: Delphi ou Oasis. As duas confeitarias estão sempre bem cheias, e no meio de tanta gente costuma estar alguém conhecido, até um ou outro admirador. E eles oferecem tantos sorvetes que a gente não conseguiria tomar tudo nem em uma semana.

Imagino que ficou surpresa por eu, apesar de tão nova, já falar em admiradores. Infelizmente essa desgraça é inevitável na nossa escola. Quando um dos rapazes pergunta se pode me acompanhar até em casa de bicicleta, é certo que se apaixona logo por mim e que não me perde de vista durante algum tempo. Depois, pouco a pouco, sossegam, porque eu faço de conta que não vejo os olhares apaixonados e continuo alegremente a pedalar. Se aquilo passa do limite, começo a fazer umas manobras na bicicleta, a minha pasta cai ao chão e o rapaz é obrigado a descer. Apanha a pasta e até me entregar, já sossegou.

Esses são os mais inofensivos. Tem alguns que nos atiram beijos ou nos tocam no braço. Quando isso acontece, desço da bicicleta e falo que dispenso a companhia dele, ou finjo que estou ofendida, e mando passear. E pronto, Kitty, foi lançada a base da nossa amizade.

Até amanhã!

Sua Anne

DOMINGO, 21 DE JUNHO DE 1942

Querida Kitty:

Toda a nossa turma treme. A reunião de conselho dos professores está chegando. Metade da turma passa o tempo a apostar quem passa de ano e quem repete. A Miep de Jong e eu nos escangalhamos de rir por causa das nossas companheiras de carteira, que já apostaram todo o dinheiro que têm. Rezam de manhã até a noite: "Vai passar, vai repetir... Sim, não...".

De nada adiantam os olhares suplicantes da Miep nem as minhas sérias tentativas para acalmá-las. Tem tantos folgados na minha turma que, se dependesse de mim, reprovava a metade. Os professores são as pessoas mais estranhas do mundo, mas talvez sejam no bom sentido.

Dou-me razoavelmente com os professores e com as professoras. Ao todo são nove, sete homens e duas mulheres. O sr. Kepler, o velho professor de matemática, implicava comigo por eu falar demais. Mandou-me fazer uma redação sobre o tema: "Uma tagarela." Uma tagarela! O que se poderia escrever sobre isso? Mas não me afligi.

À noite, depois de acabados todos os outros deveres, lembrei-me da redação. Pensei no assunto: escrever umas bobagens, com as palavras bem separadas. Mas encontrar uma razão evidente da necessidade de falar, aí é que estava o grande problema. Pensei e tornei a pensar. De repente, as palavras surgiram.

Enchi as três folhas obrigatórias, rapidamente, sem cessar. Como argumento, aleguei que falar era próprio das mulheres e que eu me esforçaria para mudar se a minha mãe não falasse tanto como eu. E, como era sabido, contra defeitos hereditários pouca coisa podemos fazer.

O sr. Kepler riu da minha explicação. Quando, na aula seguinte, falei de novo, ele me mandou fazer outra redação: A tagarela incurável". Escrevi como pude e durante duas aulas me comportei bem. Mas, na terceira aula, não aconteceu o mesmo, e o sr. Kepler achou que o meu mau comportamento passava dos limites.

– Anne, como castigo por sua tagarelice, vai fazer uma redação: "Quac, quac, quac! Lá vem a dona pata".

A turma morreu de rir. Também ri, embora me parecesse que tinha esgotado a minha criatividade para redações sobre o tema. Precisava encontrar alguma coisa nova, original. A minha amiga Sanne, boa em poesias, me aconselhou a tratar o assunto em versos e se ofereceu para me ajudar. Fiquei animada. O Kepler queria fazer pouco de mim, mas eu podia dar o troco.

Fizemos um poema que foi um sucesso. Era sobre uma mãe pata e um pai cisne. Tinham três patinhos que, de tanto fazer barulho, foram bicados pelo pai até morrer. Felizmente o Kepler compreendeu a brincadeira e leu o poema em voz alta na nossa e nas outras turmas. Desde então posso falar sem que o Kepler me passe redações como castigo. Agora ele faz piadinhas a toda hora.

Sua Anne

QUARTA-FEIRA, 24 DE JUNHO DE 1942

Querida Kitty:

Está escaldante. Todo mundo bufa e transpira. Neste calorão, tenho que andar a pé. Só agora compreendo como é bom o bonde ou os carros abertos. Mas é um prazer que não existe mais para nós, os judeus. Temos de nos contentar com as perninhas. Ontem, na hora do almoço, tive de ir ao dentista na Jan Luykenstraat. É uma caminhada longa desde a nossa escola.

Na aula da tarde por pouco não dormi. O que vale é que ainda há pessoas amáveis que nos oferecem de beber mesmo sem pedirmos nada. A ajudante do dentista compreendeu a minha situação e me deu um copo de água.

Só um meio de transporte nos é ainda permitido: a barca. Lá no cais de Joseph-Israel, tem um barquinho que nos leva para a outra margem. Não é por culpa dos holandeses que a vida é dura para os judeus.

Ai, se não precisasse ir para a escola! Durante as férias da Páscoa, roubaram minha bicicleta. O papai levou a mamãe para uma casa mais segura, de gente conhecida! Felizmente as férias estão chegando. Mais uma semana e estou livre disso!

Ontem de manhã aconteceu-me uma coisa engraçada. Quando passei por aquele lugar onde costumava guardar a minha bicicleta, ouvi chamar. Virei-me. Atrás de mim vinha um rapaz simpático que, na noite anterior, eu tinha visto na casa da Eva, uma conhecida minha. Um pouco tímido, disse-me o seu nome: Harry Goldberg. Fiquei admirada, não sabia bem o que ele queria de mim. Mas logo descobri. Queria acompanhar-me à escola.

Falei para ele que tudo bem, se era caminho dele. E andamos lado a lado. O Harry já tem dezesseis anos e sabe falar bem sobre muitas coisas. Hoje de manhã, estava, de novo, à minha espera. Penso que assim vai continuar por algum tempo.

Sua Anne

TERÇA-FEIRA, 30 DE JUNHO DE 1942

Querida Kitty:

Até hoje ainda não tive tempo para escrever. Quinta-feira, fiquei a tarde toda em casa de gente amiga. Sexta, tivemos visitas e assim por diante, até hoje. Harry e eu nos conhecemos melhor nesta semana. Contou-me muita coisa dele. Veio para a Holanda com os avós. Os pais estão na Bélgica.

Harry tinha uma namorada chamada Fanny. É uma garota sem graça. Desde que o Harry me conheceu, percebeu que a Fanny quase o fazia dormir de tédio. E eu sou para ele uma espécie de estimulante. Nunca sabemos como a gente pode ser útil para alguém.

Sábado, a Jopie dormiu aqui em casa. Na tarde de domingo, ela foi para a casa da Lies e eu fiquei aborrecida. À noite, ia ver o Harry, mas às seis, ele me ligou:

– Aqui é Harry Goldberg. Por favor, posso falar com a Anne?

– Sou eu mesma.

– Boa noite, Anne. Como vai?

– Bem, obrigada.

– Infelizmente não posso ir aí à noite. Mas queria muito falar contigo. Pode descer, daqui a dez minutos?

– Está bem. Até já.

Troquei de roupa rapidinho e dei um jeito no cabelo. Depois fui para a janela, toda nervosa. Finalmente, ele veio. Quase me precipitei escada abaixo. Mas esperei calmamente que ele tocasse a campainha. Depois desci. Saímos e ele foi direito ao assunto.

– Anne, minha avó acha que você é nova demais para mim. Acha que eu devia sair de novo com a Fanny Lours. Mas eu não quero saber da Fanny para nada.

– Então brigou com ela?

– Não, pelo contrário. Não nos importamos muito um com o outro e, por isso, não vale a pena nos encontrarmos tantas vezes. Disse a ela que pode continuar indo à minha casa e que eu também continuarei indo à casa dela. Desconfiei que a Fanny andasse com outros rapazes, mas parece que não. Meu tio achou que devia pedir-lhe desculpa, mas não quero. Achei preferível acabar assim. A vovó insiste que eu mantenha a amizade com a Fanny e que não comece a andar contigo. Os mais velhos têm ideias antigas. Está certo que dependo de minha avó, mas ela também depende de mim. Às quartas, estou sempre livre. Os meus avós julgam que vou às aulas de trabalhos manuais, mas eu tenho ido quase sempre às reuniões dos sionistas. Não somos sionistas, mas me interessava conhecer aquilo. Ultimamente não me sentia à vontade naquelas reuniões e resolvi não tornar a ir. Assim, podemos nos encontrar às quartas e sábados, à tarde e à noite, e no domingo à tarde, e talvez mais vezes ainda.

– Mas os seus avós não estão de acordo. Não deve fazer isso escondido.

– No amor ninguém manda.

Passamos pela livraria e dobramos a esquina. E lá estava o Peter Wessel com mais dois rapazes. Era a primeira vez que o tornava a ver e fiquei cheia de alegria. Harry e eu andamos e tornamos a andar em volta do bairro e, por fim, combinamos que ele me esperasse na tardinha seguinte às cinco para as sete, em frente à casa dele.

Sua Anne

SEXTA-FEIRA, 3 DE JULHO DE 1942

Querida Kitty:

Ontem o Harry veio aqui. Quis conhecer os meus pais. Eu tinha ido buscar torta, doces e bolachas e tomamos chá. Ao Harry e a mim não nos apetecia nada ficar em casa quietinhos. Saímos, demos um passeio e eram oito e dez quando ele me deixou em casa.

O papai estava zangadíssimo por eu chegar tão tarde, que era muito perigoso, para judeus, andar pelas ruas depois das oito.

Prometi, de hoje em diante, estar sempre em casa, pontualmente, às dez para as oito. Amanhã estou convidada para ir à casa do Harry. A minha amiga Jopie faz troça de mim por causa dele. Mas não estou apaixonada. Então não posso ter um amigo? Ninguém acha mau que tenha um amigo ou – como costuma dizer a mamãe – um cavalheiro. Eva me contou que o Harry esteve outro dia na casa dela, e que ela perguntou para ele:

– Quem acha mais simpática: a Fanny ou a Anne?

– Não é da sua conta! – respondeu ele.

Então não falaram mais no assunto, mas, ao se despedir, o Harry disse:

– Anne é mais simpática, claro, mas não precisa falar isso para ninguém.

As últimas palavras já foram ditas na rua. Sinto que o Harry está apaixonado por mim e, para variar, isso é engraçado. A Margot dizia:

– Um tipo simpático.

– Também o acho simpático, mais até do que simpático.

A mamãe está encantada com ele: "Um rapaz bonito, muito gentil e bem-educado". Ainda bem que o Harry agrada tanto a toda a família. Ele também nos acha todos muito simpáticos. Só acha a minha amiga infantil e não deixa de ter razão.

Sua Anne

DOMINGO, 5 DE JULHO DE 1942

Querida Kitty:

A festa do fim do período correu lindamente. As minhas notas não são nada más. A pior nota é um cinco em Álgebra. Tenho dois seis, sete em quase tudo e dois oitos.

Aqui em casa ficaram satisfeitos. Não ligam muito para notas boas ou más. Dão mais valor ao bom comportamento e querem acima de tudo que eu tenha saúde e seja alegre. Dizem eles que havendo saúde e boa disposição, o resto vem por si. Mas eu gostaria de ser uma boa aluna para valer.

Só me admitiram no liceu condicionalmente por me faltar ainda o último ano da Escola Montessori. A coisa foi assim: quando todos os alunos judeus tiveram que se transferir para escolas judaicas, o reitor, depois de muito palavreado, concordou em aceitar Lies e eu, mas com muitas reservas. E agora não quero decepcioná-lo.

Minha irmã Margot teve notas brilhantes, como de costume. Ela passaria em qualquer teste com distinção e louvor, teria a mais alta classificação, pois é muito inteligente.

O papai passa muito tempo em casa agora. Deve ser uma sensação horrível isso de uma pessoa se sentir, de repente, posta de lado. O sr. Koophus tomou conta da Travis juntamente com o sr. Kraler, da firma Kolen & Co., da qual o papai também era sócio.

Há alguns dias, quando estávamos passeando, o papai me disse que provavelmente teremos de nos esconder. Disse que vai ser difícil viver isolados do mundo.

Perguntei por que é que falava assim.

> “Sabe que há mais de um ano estamos guardando roupas, móveis e comida em outra casa. Não queremos deixar cair o que é nosso nas unhas dos alemães. E muito menos queremos, nós mesmos, cair nas mãos deles.

– Sabe que há mais de um ano estamos guardando roupas, móveis e comida em outra casa. Não queremos deixar cair o que é nosso nas unhas dos alemães. E muito menos queremos, nós mesmos, cair nas mãos deles. Por isso, não vamos esperar até que venham nos buscar.

O rosto muito sério do meu pai me inquietou.

– Então, quando, papai?

– Não se preocupe, minha filha. Saberá a tempo. Goze a sua liberdade enquanto for possível.

Foi tudo. Tomara que o tal dia ainda esteja longe!

Sua Anne

QUARTA-FEIRA, 8 DE JULHO DE 1942

Querida Kitty:

Entre domingo de manhã e hoje foi como tivessem se passado muitos anos. Aconteceram muitas coisas. É como se a Terra estivesse toda ela transformada. Contudo, Kitty, ainda estou viva, e isso é o principal. Sim, estou viva, mas não queira saber de que maneira. É possível que hoje você não me entendesse, por isso, antes de mais nada, vou contar o que se passou.

Às três horas (Harry tinha saído naquele mesmo momento e queria voltar mais tarde), a campainha tocou. Eu não tinha ouvido nada porque estava numa preguiça gostosa, estendida na cadeira, lendo. Nisso entrou a Margot, toda agitada, e cochichou:

– Anne, recebemos uma convocação das SS para o papai. A mamãe já foi falar com o sr. Van Daan.

Senti um medo horrível. Uma convocação para o papai... Toda gente sabe o que isso significa: campo de concentração... Vi surgir diante de mim celas solitárias para onde queriam levar o meu pai!

– Não pode ser! – disse à Margot categoricamente quando nos encontramos as duas na sala de estar, à espera da mãe.

– A mamãe foi à casa dos Van Daan para combinar se não seria melhor nos escondermos já amanhã. Os Van Daan vão conosco; somos, ao todo, sete.

Um grande silêncio. Não fomos capazes de dizer mais uma palavra. A ideia de que o papai andava em visita aos seus protegidos no asilo dos judeus idosos, sem suspeitar coisa alguma, a demora da mãe, o calor, a tensão... tudo isso nos emudecia.

De repente, tocou a campainha.

– É o Harry! – disse eu.

– Não abra!

A Margot quis me deter, mas nem foi preciso. Ouvimos a mamãe e o sr. Van Daan falando com o Harry. Depois que ele foi embora, entraram e fecharam a porta. A cada toque da campainha, Margot ou eu tínhamos de descer sem fazer o menor ruído, para ver se era o papai. Não devíamos deixar entrar mais ninguém. Mandaram nós duas sair do quarto. O Van Daan queria falar a sós com a mamãe.

Enquanto esperávamos no nosso quarto, a Margot me disse que a convocação não tinha sido para o papai, mas sim para ela. Levei, de novo, um susto horrível e desatei a chorar desesperadamente. A Margot tem dezesseis anos. E eles obrigam garotas assim a partir sozinhas. Felizmente ela não vai se separar de nós. A mamãe tinha repetido as palavras do papai, quando ele me falou em nos escondermos.

Onde vamos nos esconder? Na cidade? No campo? Num edifício qualquer? Numa cabana? Quando, como, onde? Não podia fazer essas perguntas em voz alta, mas andavam constantemente na minha cabeça.

Margot e eu começamos a guardar nas pastas da escola o que nos parecia mais necessário. A primeira coisa que peguei foi este caderno, depois os rolinhos para cabelo, lenços, livros escolares, um pente e cartas velhas. Ao me lembrar que íriamos nos esconder, coloquei ainda na pasta coisas estranhas, mas não estou arrependida. Recordações valem mais do que vestidos.

Às cinco horas, o papai finalmente chegou. Telefonou ao sr. Koophuis e pediu-lhe que viesse à noite à nossa casa. O sr. Van Daan foi buscar a Miep, que veio e meteu sapatos, vestidos, casacos e roupas brancas numa malinha. Prometeu voltar à tardinha. Depois disso, reinou o silêncio na nossa casa. Ninguém quis comer. O calor ainda apertava. Parecia-me tudo tão estranho!

O quarto grande, no andar de cima, estava alugado a um tal sr. Goldschmidt, um homem divorciado, de mais ou menos trinta anos. Como, nesse domingo, parecia não ter nada que fazer, foi ficando conosco até as dez horas, não conseguimos despedi-lo antes. Às onze horas, chegaram a Miep e o Henk Van Santen. A Miep trabalha, desde 1933, no escritório do papai e tinha se tornado uma amiga fiel, assim como o seu marido, Henk, com quem se casou há pouco. Meias, livros e roupas desapareceram na mala de Miep e nos bolsos fundos de Henk. Às onze e meia, saíram carregados. Eu, cheia de sono, já não me aguentava em pé e, embora soubesse que era aquela a última noite que passava na minha casa, adormeci num instante.

Na manhã seguinte, a mamãe acordou-me às cinco e meia. Felizmente já não estava tanto calor como no domingo. Uma chuvinha, miúda, quente, caiu o dia todo. Vestimo-nos todos com tanta roupa como se fôssemos entrar numa geladeira. Assim, conseguimos trazer para cá muitas roupas. Um judeu na nossa situação não podia correr o risco de andar na rua com uma grande mala. Eu trazia duas camisas, dois pares de meias, três calcinhas e um vestido leve, com saia e casaco por cima, e ainda mais um casaco comprido de verão. Calcei os meus melhores sapatos, pus cachecol, boina e ainda mais coisas. Mesmo antes de sair de casa, já me sentia quase sufocada, mas ninguém quis saber disso.

A Margot guardou mais livros de estudo na pasta, foi buscar a bicicleta e ia pedalando atrás da Miep, para qualquer parte, que me era desconhecida. É que eu ainda não sabia qual era o lugar misterioso onde nos abrigaríamos... Às sete e meia, saímos e batemos a porta. Só me despedi de Moortjen, o meu querido gatinho, que havia de encontrar um bom refúgio num dos vizinhos, se o sr. Goldschmidt cumprisse esse nosso desejo que deixamos escrito num bilhete.

Na mesa da cozinha ficou meio quilo de carne para o gato, na mesa da sala ainda estava a louça do café da manhã. As roupas das camas arejavam nas janelas. Tudo isso dava a impressão de termos deixado a casa precipitadamente. Mas era-nos indiferente o que os outros podiam pensar. Queríamos desaparecer e chegar sãos e salvos ao nosso destino.

Amanhã continuo!

Sua Anne

QUINTA-FEIRA, 9 DE JULHO DE 1942

Querida Kitty:

Assim corremos debaixo da chuva, a mamãe, o papai e eu, cada um com uma pasta escolar e uma sacola de compras completamente cheia, sabe Deus com quê. Os operários que iam para o trabalho nos olhavam. Bem se lia em seus rostos que tinham pena de nós por irmos tão carregados e por não nos deixarem andar nos bondes. A nossa estrela amarela no braço falava por si.

Pelo caminho, meus pais contaram, tintim por tintim, como nascera o plano do nosso esconderijo. Havia meses que parte dos nossos móveis e das nossas roupas tinha sido posta a salvo. Se não houvesse complicações, estaríamos prontos para desaparecer no dia 16 de julho. Por causa da convocação, as coisas se anteciparam dez dias. Por isso, os quartos que íamos ocupar ainda não estavam preparados como devia ser, mas tínhamos de nos conformar.

O esconderijo é na casa comercial do papai. Para quem está de fora, tudo isso é difícil de compreender. Por isso, vou explicar melhor. O papai nunca teve muitos empregados. Os de agora eram o sr. Kraler, o sr. Koophuis, a Miep e Elli Vossen, a datilógrafa de vinte e três anos. Todos sabiam que vínhamos.

Só o sr. Vossen, o pai da Elli, que trabalha no armazém, e os dois criados é que não sabem do segredo.

O edifício é assim: no térreo há um grande armazém, que também serve para a expedição. Ao lado da entrada para o armazém, há a verdadeira porta de entrada. Passada a porta, subimos uma escada de poucos degraus até uma outra porta onde, sobre vidros foscos, existiu há tempos, em letras pretas, a palavra "escritório". É um escritório grande, muito grande mesmo, muito claro e atravancado de móveis. Nele trabalham durante o dia, a Miep, a Elli e o sr. Koophuis.

Através de um quarto de passagem que serve de vestiário, onde há um grande armário e um cofre à prova de fogo, entramos num grande quarto que dá para os fundos, onde antes o sr. Kraler trabalhava com o sr. Van Daan. Agora ficou só o sr. Kraler. Pode-se também passar-se do corredor diretamente para esse quarto atravessando uma porta de vidro que se pode abrir por dentro com facilidade, mas que dificilmente se abre pelo lado de fora.

Do escritório do sr. Kraler dá para passar, através do corredor e subindo quatro degraus, à mais bonita sala da casa, o escritório particular. Móveis de luxo escuros, chão revestido de oleado e com tapetes, um rádio, lindos lustres vistosos, tudo maravilhoso. Ao lado, há uma cozinha grande, arejada, com um cilindro de água quente e dois fogareiros a gás. E, ao lado da cozinha, o w.c. Isso é o primeiro andar. Do corredor comprido, uma escada de madeira conduz a um vestíbulo que acaba noutro corredor. Há uma porta à direita e outra à esquerda. A da esquerda conduz à parte da frente da casa, onde se encontram os armazéns, as águas-furtadas e o sótão.

No prédio tem ainda uma outra escada comprida, íngreme demais, perigosa, tipicamente holandesa. A porta da direita conduz a um anexo. Ninguém poderia sequer suspeitar que, para além dessa porta simples, pintada de cinza, ainda se encontrariam escondidos muitos quartos. Aberta a porta, subimos um degrau, e estamos dentro do anexo.

Em frente à entrada, há uma escada íngreme. À esquerda, um corredorzinho leva a um quarto, que vai ser o quarto de dormir e de estar dos meus pais, e a um outro quartinho que será meu e da Margot. Ao lado direito da escada, há um quarto sem janelas com lavatório e um w.c. com uma outra porta que dá para o nosso quarto.

Quando se sobe a escada e se abre a porta de cima, ficamos admirados ao

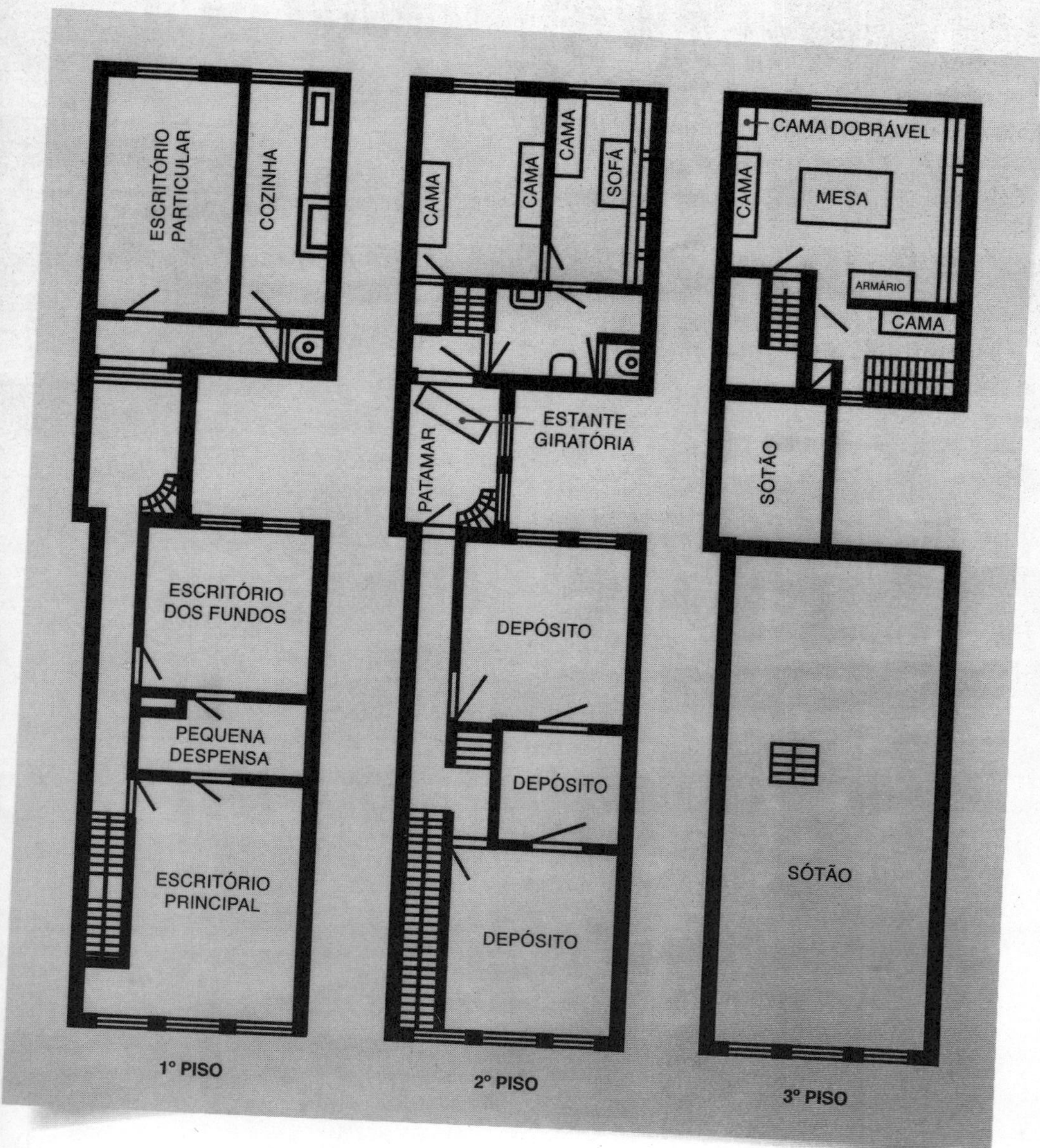

ver, numa casa tão velha, um quarto tão grande, bonito e iluminado. Nesse quarto, há um fogão a gás e uma pia. Aqui estava instalado, até há pouco, o laboratório da firma. Agora serve de cozinha, de sala e de quarto de dormir do casal Van Daan.

Um quartinho minúsculo no corredor será o de Peter Van Daan. Como na casa, aqui há águas-furtadas e um sótão. Veja, já apresentei a você o nosso anexo secreto.

Sua Anne

Comentário adicionado em 2 de setembro de 1942:

Estivemos ocupados durante todo o dia. Até quarta-feira nem tempo tive para pensar nessa grande reviravolta que se deu na minha vida. Só então, pela primeira vez desde que aqui chegamos, consegui arranjar tempo para descrever o que tinha acontecido e para falar no que ainda poderá vir a acontecer.

SEXTA-FEIRA, 10 DE JULHO DE 1942

Querida Kitty:

Acho que a aborreci com a longa descrição da casa. Mas acredito que você deveria conhecer onde nos acomodamos. E agora vou continuar, pois ainda não acabei. Quando chegamos a Prinsengracht, a Miep fez a gente subir depressa para o anexo e fechou a porta atrás de nós. E aqui estamos. Margot tinha chegado muito mais depressa de bicicleta e já estava à nossa espera. O nosso quarto e os outros também estavam entulhados de coisas.

A desordem era indescritível! Os caixotes e as malas que, no decorrer dos últimos meses, tinham mandado para cá, se amontoavam numa grande bagunça. O quartinho estava até o teto com camas e roupas de cama. Se quiséssemos dormir à noite em camas arrumadas, tínhamos de colocar já mãos à obra.

A mamãe e a Margot não foram capazes de mexer numa palha. Jogaram-se em cima dos colchões. Sentiam-se muito infelizes. Papai e eu, "arrumadeiras" da família, afundamos no trabalho.

Despejamos as malas e os caixotes, colocamos tudo nos devidos lugares, martelamos e esfregamos. Quando a noite chegou, caímos, mais mortos que vivos, nas camas limpinhas. Não comemos uma só refeição quente durante todo o dia. Também não precisava. A mamãe e a Margot estavam nervosas demais para comer, e o papai e eu não tivemos tempo.

Na terça-feira de manhã, continuamos. A Elli e a Miep fizeram as compras com os nossos talões de racionamento, o papai melhorou a iluminação, que tinha ficado com problemas, e esfregamos os azulejos da cozinha. Estivemos todos bem.

Sua Anne

SÁBADO, 11 DE JULHO DE 1942

Querida Kitty:

O papai, a mamãe e a Margot ainda não conseguiram se acostumar com o sino da Torre-Oeste, que toca de quarto em quarto de hora. Eu já me acostumei e até acho bonito. Principalmente à noite tem algo que me acalma.

Fachada do prédio comercial onde havia o anexo secreto.

Quarto que Anne Frank dividia com Dussel, o dentista.

Acho que você gostaria de saber se este refúgio me agrada. Para ser franca, ainda não sei. Acho que nunca me sentirei aqui como em nossa casa. Mas com isso não quero dizer que o acho lúgubre ou triste. Às vezes, parece que estou numa pensão estranha. Um conceito diferente de esconderijo, não é?

Esta casa é realmente um esconderijo ideal. Apesar de ser um bocado úmida, torta e sinuosa, será difícil encontrar coisa mais confortável em Amsterdã ou mesmo em toda a Holanda.

O nosso quarto, até agora, estava completamente nu. Papai trouxe toda a minha coleção de postais de estrelas de cinema e de paisagens. Eu transformei-os, com cola e pincel, em lindos quadros para as paredes. Agora o quarto tem um aspecto alegre. Logo que cheguem os Van Daans, vamos construir armarinhos para as paredes e outras coisas úteis com a madeira que está no sótão.

A Margot e a mamãe estão se acostumando. Ontem, pela primeira vez, a mamãe quis cozinhar. Sopa de ervilhas! Mas enquanto tagarelava embaixo, se esqueceu da sopa por completo e queimou tudo. As ervilhas ficaram negras como carvão e era impossível desgrudar do fundo da panela. É pena que eu não possa contar essa história ao meu professor Kepler... teoria da hereditariedade.

O sr. Koophuis me deu um livro chamado *Anuário dos Jovens*. Ontem à noite, fomos todos ao escritório escutar a BBC. Estava com muito medo que alguém na vizinhança nos visse e supliquei ao papai para voltarmos para cima. A mamãe concordou e veio comigo. Estamos sempre com receio de que alguém nos possa ver ou ouvir.

Logo no primeiro dia, fizemos cortinas. São simplesmente retalhos de diferentes formas e cores, ajuntados e costurados pelo papai e por mim. Essas peças de luxo estão pregadas aos caixilhos das janelas com alfinetes e ali ficarão enquanto durar o nosso esconderijo.

Do lado direito da nossa moradia tem uma casa comercial grande e à esquerda, tem uma carpintaria. Nesses edifícios não fica ninguém depois do horário de trabalho, mas nunca se sabe se alguém pode nos escutar. Por isso proibimos a Margot, que anda terrivelmente resfriada, de tossir à noite. Coitada, volta e meia obrigam-na a engolir codeína.

Na terça-feira, chegarão os Van Daans. Estou contente. Será mais agradável assim e menos monótono. Esta calma enerva-me, principalmente à noite. Seria bom que algum dos nossos protetores dormisse aqui. Fico aflita com a ideia de não poder sair daqui, e tenho medo de que nos descubram e nos fuzilem. É isso que pesa sobre mim de um modo horrível. Durante o dia não nos podemos mexer à vontade. Não podemos pisar o chão com força e temos quase de cochichar em vez de falar, pois lá embaixo, no armazém, não nos devem ouvir. Desculpa. Estão me chamando.

Sua Anne

SEXTA-FEIRA, 1º DE AGOSTO DE 1942

Querida Kitty:

Há um mês que deixei você de lado. Nem todos os dias acontecem coisas novas. No dia 13 de julho chegaram os Van Daan. Só os esperávamos no dia 16. Mas como justamente naqueles dias todos estavam muito agitados porque os alemães convocavam cada vez mais judeus, os Van Daans preferiram partir da sua casa antes que fosse tarde demais. Pela manhã, às nove e meia, estávamos ainda tomando o café da manhã quando entrou o Peter Van Daan, um jovem de dezesseis anos, sem graça, muito tímido, que não promete ser companhia interessante. E trouxe seu gato Mouschi.

Meia hora mais tarde, apareceu o casal Van Daan. A gente riu muito porque a sra. Van Daan trouxe um penico dentro de uma caixa de chapéu. "Sem meu penico não posso viver", disse ela, e pôs a peça valiosa no seu lugar debaixo da cama. Ele, o sr. Van Daan, apareceu com uma mesinha dobrável de chá debaixo do braço.

No primeiro dia estivemos sentados todos juntos, num ambiente simpático, e, passados três dias, tínhamos a impressão de termos sido sempre uma grande família.

Os Van Daan viram muitas coisas em toda aquela semana que ainda passaram no mundo exterior, e era disso que nos falavam. Nos interessava muito, em especial o que tinha sucedido à nossa casa e ao sr. Goldschmidt.

E o sr. Van Daan contou:

– Segunda-feira, às nove horas da manhã, o sr. Goldschmidt telefonou-me para encontrá-lo. Mostrou-me o papelzinho que vocês tinham deixado (para ele levar o gato ao vizinho). Ele tinha um medo terrível de que a polícia revistasse a casa e, por isso, limpamos bem a mesa. De repente, descobri no calendário em cima da escrivaninha da sra. Frank um apontamento com um endereço qualquer em Maastricht. Eu sabia desse "desleixo" intencional, mas me fingi admirado e assustado e pedi ao sr. Goldschmidt para, com toda urgência, queimar aquele malfadado papel. Ao mesmo tempo, ia dizendo que não fazia a menor ideia da intenção de vocês de desaparecerem. De repente, foi como se fizesse luz no meu espírito. Disse: "Sr. Goldschmidt, agora sei que endereço é esse. Há mais ou menos meio ano, apareceu-nos no escritório um oficial alemão de alta patente, um amigo de infância do sr. Frank. Ora, esse oficial prometeu ao sr. Van Daan ajudá-lo se ele, um dia, estivesse em perigo aqui. E esse oficial estava em Maastricht! Suponho que cumpriu a promessa e que levará os Frank à Bélgica e, de lá, para junto dos parentes deles na Suíça. Pode contar isso aos amigos que perguntem pelos Frank, mas não mencione Maastricht, por favor". – Depois fui embora. A história correu e até já a ouvi sendo contada segundo essa mesma versão.

Achamos a coisa deliciosa e rimos muito da força de imaginação de algumas pessoas! O sr. Van Daan contou que uma família pensava ter-nos visto quando partimos de bicicleta de manhã cedo, todos juntos. Uma outra senhora sabia categoricamente que um automóvel militar nos foi buscar em plena noite.

Sua Anne

SEXTA FEIRA, 21 DE AGOSTO DE 1942

Querida Kitty:

O nosso esconderijo agora é perfeito. O sr. Kraler teve a boa ideia de tapar a porta de entrada do anexo. A polícia está fazendo muitas buscas nas casas, atrás de bicicletas escondidas. O sr. Vossen executou um plano: construir uma estante giratória que abre para o lado como uma porta. É claro que, para isso, o sr. Vossen teve que saber do nosso segredo. Ele está nos ajudando muito. Agora, antes de descermos, temos de nos abaixar e depois damos um pulo, porque o degrau desapareceu.

Depois de três dias, tínhamos todos a testa cheia de galos porque, como não tomávamos cuidado e não estávamos habituados, batíamos quase sempre contra a portinha. Agora pregamos uma almofadinha de serragem. Vamos ver se serve para alguma coisa.

Não leio muito. Já me esqueci de algumas coisas que aprendi na escola. A nossa vida aqui é pouco variada. O sr. Van Daan e eu nos irritamos um com o outro. Ele acha a Margot muito mais engraçada do que eu. A mamãe me trata como se eu fosse um bebê, coisa que não suporto. O Peter também não tem graça. É chato e preguiçoso. Passa a maior parte do dia estendido na cama. Às vezes se levanta, faz um servicinho de carpintaria e torna a se deitar. Um autêntico palerma!

Está calor e a gente se espreguiça na cadeira de lona, lá em cima, no sótão grande.

Sua Anne

“O sr. Vossen executou um plano: construir uma estante giratória que abre para o lado como uma porta. É claro que, para isso, o sr. Vossen teve que saber do nosso segredo.

QUARTA-FEIRA, 2 DE SETEMBRO DE 1942

Querida Kitty:

O sr. Van Daan brigou com a mulher. Nunca vi tal coisa na minha vida. O meu pai e a minha mãe não eram capazes de gritar assim um com o outro. O motivo foi tão insignificante que nem vale a pena falar nele. Mas enfim, cada um é como é. Para o Peter não deve ser nada agradável assistir a essas brigas. Mas ninguém o leva a sério por ser tão preguiçoso e tão mimado. Ontem estava todo aflito porque tinha a língua azul. Mas, pouco depois, já tinha passado, e hoje anda com um cachecol grosso à volta do pescoço, diz que tem lumbago e dores nos pulmões, no coração e nos rins. Ele deve ser um belíssimo hipocondríaco! (É assim que se diz, não é?)

A minha mãe e a sra. Van Daan não se dão muito bem, e realmente há muitos motivos para isso. Um exemplo: a sra. Van Daan só deixou ficar três lençóis no armário das roupas brancas, usado em comum por eles e por nós. Tinha ela a intenção simpática de poupar os lençóis dela e de usar os nossos. Vai ficar muito espantada quando descobrir que a mamãe seguiu o exemplo dela... A madame também se enfurece toda quando usamos a louça dela e não a nossa. Anda constantemente tentando descobrir o que foi feito da nossa porcelana e nem suspeita que se encontra tão perto dela, no sótão, atrás de várias tranqueiras. A pouca sorte persegue-nos. Ontem deixei cair um prato de sopa.

– Oh! Toma cuidado. É tudo que me resta! – gritou ela.

Mas o sr. Van Daan é agora a amabilidade em pessoa comigo.

A mamãe voltou a pregar-me um grande sermão, hoje de manhã. Acho isso horrível. As nossas opiniões são muito diferentes. O papai está mais compreensivo, mesmo que, às vezes, fique zangado durante cinco minutos.

Na semana passada houve um incidente. O motivo foi um livro sobre mulheres e o Peter. Ainda não disse que a Margot e o Peter têm licença para ler quase todos os livros que o sr. Koophuis nos traz da biblioteca. Mas os adultos não queriam dar esse tal livro para eles. Com isso, a curiosidade do Peter foi aguçada. O que estaria escrito num livro proibido? Pegou o livro escondido e foi com ele para baixo do telhado.

Durante dois dias tudo correu bem. A mãe dele tinha percebido, mas ficou quieta. Depois o pai descobriu tudo. Zangou-se, tirou o livro dele e pensou que o assunto estivesse resolvido. Não contava com a curiosidade do filho, que não achou a intenção do pai razoável e, por isso, não desistiu. Procurou, por todos os meios, apanhar o livro outra vez. A sra. Van Daan, entretanto, tinha falado com a minha mãe sobre o assunto. Minha mãe também achava que aquele livro não era próprio para a Margot, apesar de a deixar ler todos os outros livros. Mamãe disse:

– Entre a Margot e o Peter há uma grande diferença, sra. Van Daan! Em primeiro lugar, as moças são quase sempre mais desenvolvidas do que os rapazes, e depois a Margot já leu muitos livros sérios e notáveis, e, além disso, ela está mais avançada em relação ao raciocínio e à cultura. Não se esqueça de que ela tem o curso do liceu quase completo.

Em princípio, a sra. Van Daan concordava, embora não achasse necessário darem aos jovens os livros que, na realidade, eram destinados aos adultos.

O Peter aproveitou a ocasião para se apoderar do livro. Quando, à noite, toda a família se reuniu no escritório para ouvir rádio, ele levou o seu tesouro para o sótão. Às oito e meia, ele deveria voltar para baixo, mas o livro era tão palpitante que não reparou nas horas. Estava descendo a escada do sótão com muita cautela quando o seu pai entrou no quarto. Pode imaginar o que aconteceu... Ouvimos o estalar de uma bofetada, um empurrão, o livro voou por cima da mesa e o Peter para o canto do quarto.

O casal Van Daan apareceu para jantar sem Peter, que foi obrigado a ficar em cima. Ninguém se importou. Diziam que, de castigo, ia para a cama sem comer. De repente... um assobio penetrante... ficamos como que petrificados e pálidos. Olhamos uns para os outros. Os talheres caíram-nos das mãos. Depois ouvimos a voz de Peter através do cano do fogão:

– Se pensam que desço, estão muito enganados.

O sr. Van Daan deu um pulo da cadeira e gritou, vermelho como um tomate:

– Agora basta!

O papai agarrou o braço dele, e subiram assim os dois. Depois de muita resistência e barulho, o Peter acabou por voltar ao seu quarto, onde ficou fechado à chave. A sua boa mãezinha quis guardar-lhe um pão com manteiga, mas o pai dele foi inflexível.

– Se ele não pedir desculpa imediatamente, vai dormir no sótão!

Protestamos e dissemos que já era castigo suficiente ter o rapaz ficado sem jantar. E, se o Peter se resfriasse, não haveria possibilidade de ir buscar um médico.

O Peter não pediu desculpa e ficou no sótão. O sr. Van Daan não deu importância, mas, na manhã seguinte, vimos que o Peter, afinal, tinha dormido na sua cama. Às sete horas, porém, o rapaz subiu de novo para o sótão e foi preciso o meu pai intervir com algumas palavrinhas conciliadoras para que ele descesse.

Durante três dias tivemos caras carrancudas e um silêncio teimoso. Depois tudo voltou ao normal.

Sua Anne

SEGUNDA-FEIRA, 21 DE SETEMBRO DE 1942

Querida Kitty:

Hoje vou contar uns detalhes do nosso dia a dia. A sra. Van Daan é insuportável. A cada passo me censura por eu falar tanto. Não perde uma ocasião para nos irritar. Agora meteu na cabeça que não vai mais lavar a louça. E, quando se digna a lavar, deixa restos de comida nas panelas em vez de guardar em pratinhos de vidro para não estragar. A Margot, que tem de lavar a louça na vez seguinte, tem o dobro do trabalho. E ainda por cima tem de ouvir da senhora:

– Coitadinha da Margot, tem tanto trabalho!

Papai e eu arranjamos agora um passatempo engraçado. Estamos montando uma árvore genealógica da família dele. Ele me contou coisas de todos os parentes. Isso me faz sentir muito ligada à família.

De quinze em quinze dias, o sr. Koophuis traz da biblioteca alguns livros para moças. Gostei muito da série "Joop-ter-Heul", e acho bonito tudo o que escreve Cissy von Marxveldt. Já li quatro vezes as "Alegrias de Verão" e rio sempre das situações cômicas.

Também voltamos aos estudos. Dedico-me muito ao francês e, só de verbos, meto todos os dias cinco dos irregulares na cabeça. Peter faz os exercícios de inglês suspirando. Recebemos livros escolares novos. Eu tinha trazido de casa lápis, cadernos, de safar.

Ouço muitas vezes a emissora de Orange, da Holanda. Ainda há pouco acabou de falar o príncipe Bernardo. Contou que vai ter outro filho... Aqui todos se admiram da minha afeição pelos reis holandeses. Há dias falaram dos meus estudos e que eu ainda tenho muito que aprender. Por isso me atirei nos livros. Não quero voltar, mais tarde, ao primeiro ano. Também percebi que eu não tinha lido nada ultimamente. A mamãe está lendo "Heeren, Vrouwen, Knechten". Mas não querem me deixar ler esse livro. Para poder lê-lo, tenho de ficar, antes de mais nada, tão esperta e culta como a minha inteligente e talentosa irmã. Falaram também sobre filosofia, psicologia e fisiologia (essas palavras tão complicadas fizeram-me ir ao dicionário), coisas de que nada sei. Tomara que no próximo ano eu já seja menos ignorante.

Descobri que, para o inverno, só tenho um vestido de mangas compridas e três blusas de lã. Papai já me autorizou a tricotar um suéter de lã branca de carneiro. A lã não é das mais bonitas, mas o principal é que seja quentinha. Muitas roupas nossas estão nas casas de outras pessoas, mas só depois da guerra poderemos ir buscá-las, se ainda existir alguma coisa. Outro dia eu estava escrevendo sobre a sra. Van Daan quando ela entrou. Imediatamente fechei o caderno.

– Então, Anne, posso ver?

– Não, sra. Van Daan!

– Só a última página, está bem?

– Não, também não!

Ai! Que susto que passei. Era mesmo naquela página que falava dela de modo pouco elogioso.

Sua Anne

"Descobri que, para o inverno, só tenho um vestido de mangas compridas e três blusas de lã.

SEXTA-FEIRA, 25 DE SETEMBRO DE 1942

Querida Kitty:

Ontem visitei os Van Daan, lá em cima, para conversar um pouco. De vez em quando tem graça. Comemos bolachas de naftalina (a lata das bolachas está no guarda-roupa, onde há bolinhas contra traças) e tomamos limonada.

Falamos do Peter. Eu disse que ele, às vezes, se aproxima demais de mim e que isso não me agradava nada e que eu detestava tais demonstrações. Com modos paternais, perguntaram-me se eu não queria, apesar de tudo, ser muito amiga do Peter, pois ele gostava de mim.

Pensei comigo mesma: "Ah, meu Deus!". Mas disse em voz alta: "Oh, não, de maneira nenhuma! Peter é esquivo como todos os rapazes que não conviveram muito com garotas".

A comissão de refugiados, formada pelos nossos protetores, é, de fato, engenhosa. Veja só o que eles inventaram! Querem fazer chegar notícias nossas ao sr. Ban Dijk, um amigo nosso e representante principal da empresa Travis. Aliás, ele tem também muitas coisas nossas guardadas em sua casa. Assim, escreveram uma carta a um farmacêutico na Zelândia Meridional com o pedido de uma informação. Juntaram um envelope que este cliente utilizará para a resposta. Ora, o endereço da nossa casa comercial foi escrito à mão por meu pai. Quando a carta voltar, eles vão tirar a resposta do farmacêutico, enfiarão no envelope uma carta escrita pelo papai e, assim, o sr. Van Dijk terá um sinal de vida nosso. Escolheram a Zelândia, na fronteira belga, lugar onde se torna mais fácil fazer passar cartas assim.

Sua Anne

DOMINGO, 27 DE SETEMBRO DE 1942

Querida Kitty:

Outro aborrecimento com a mamãe. Nem sei quantos foram ultimamente! A maior parte das vezes não nos entendemos. Também com a Margot já não tenho a mesma intimidade. Não que na nossa família se façam cenas como lá em cima, mas, mesmo assim, não acho graça nenhuma disso. Tenho uma maneira de ser diferente da de minha mãe e de Margot. Sempre compreendi melhor as minhas amigas do que compreendo a minha própria mãe. É lamentável.

A sra. Van Daan está outra vez de mau humor. Fecha à chave a maior parte das suas coisas destinadas ao uso da casa. Eu queria tanto que a mamãe lhe pagasse na mesma moeda!

Há pais que parecem ter prazer especial não só de educar os seus próprios filhos, mas também os filhos dos outros. A essa categoria pertencem os Van Daan. A Margot já não precisa ser educada, é o amor, a bondade e a inteligência em pessoa. Mas o que ela tem a mais, tenho eu a menos! A cada passo, durante as refeições, chovem recomendações sobre a minha pessoa, e eu, de vez em quando, não posso deixar de dar uma das minhas respostas atrevidas, malcriadas até. O papai e a mamãe tomam sempre o meu partido, e sem eles eu não me aguentaria na luta. Muitas vezes, os dois me repreendem ou por eu falar demais, ou por meter o nariz em tudo, ou por não ser modesta, mas não há meio de me corrigir desses defeitos. Se o papai não fosse sempre tão paciente, eu já não teria esperanças de ser capaz de me emendar. E, vendo bem as coisas, os meus pais não exigem muito de mim.

Quando acontece de eu me servir de pouca verdura, porque gosto pouco, mas de muitas batatas, os Van Daans ficam todos enfurecidos com tais vontades.

– Mais um bocado de verdura! – diz a senhora imediatamente.

– Obrigada, só queria batatas – respondo eu.

– Verdura faz bem para a saúde, a sua mãe também pensa assim. Vai, mais um pouquinho – insiste até que meu pai intervém e põe fim àquilo.

– Tinha que ver como as coisas eram antigamente na minha casa. Esse tipo de coisa não se admitia. Isso não é educação! Estão estragando a Anne. Ai, se fosse minha filha!

É com essas palavras que termina sempre os seus discursos. Ainda bem que não sou filha dela!

Ainda sobre educação. Ontem fez um silêncio depois que a sra. Van Daan acabou o seu sermão. Por fim, meu pai disse:

– Acho que a Anne uma moça bem-educada. Veja, ela já compreendeu que o melhor é não responder aos seus longos discursos. E, em relação a verduras, olhe para seu próprio prato!

Ela se sentiu totalmente vencida. Papai quis se referir às pequenas porções que ela própria costuma comer. Para se justificar, ela disse que muita verdura à noite fazia mal à digestão.

Mas o que eu queria era que ela me deixasse em paz! É divertido ver como a sra. Van Daan fica vermelha por tudo e por nada. Eu não, e ela tem inveja de mim por isso.

Sua Anne

SEGUNDA-FEIRA, 28 DE SETEMBRO DE 1942

Querida Kitty:

Ontem não tinha acabado de escrever, mas tive que interromper.

Vou contar mais outro aborrecimento. Mas primeiro, quero dizer que acho horrível e inconcebível que os adultos se irritem e fiquem bravos com tanta facilidade e por causa das mais insignificantes bagatelas.

Até há pouco tempo, eu julgava que só as crianças se irritavam e que isso ia parar de acontecer mais tarde. Às vezes, existem motivos para grandes discussões. Mas eles ofendem-se uns aos outros constantemente, com palavras veladas, e isso torna-se insuportável. Já devia ter me acostumado, porque é a mesma coisa quase todos os dias. Mas não posso ficar indiferente se isso gira em volta da minha pessoa. Dizem de mim cobras e lagartos: a minha aparência, o meu caráter, as minhas maneiras, tudo é remexido, criticado e... condenado.

Eu não estava habituada a ouvir palavras duras e gritos. E agora querem que engula tudo isso? Não, não posso! E não tenciono engolir tudo. Vou mostrar-lhes que a Anne não é boba. Ainda vão me admirar e calar o bico! Eles é que precisavam ser educados, não eu. Cada vez fico mais espantada com tanta falta de correção e tanta estupidez (a sra. Van Daan!). Mas vou me habituar também a isso e, qualquer dia, ela vai me ouvir. Então serei, de fato, tão mal-educada, atrevida, teimosa, estúpida e preguiçosa como querem me fazer ver os de lá de cima. Sei bem que tenho muitos defeitos e fraquezas, mas os de cima exageram de uma maneira escandalosa.

Se você soubesse, Kitty, como eu fervo por dentro quando escuto tantos insultos! Qualquer dia a minha raiva acumulada explode!

Acho que estou aborrecendo você, mas não posso deixar de contar ainda uma conversa à mesa, que foi muito interessante e divertida. Estavam falando da grande modéstia do Pim (Pim é apelido do papai). É tão evidente nele a modéstia, que até as pessoas mais simples notam. De repente, a sra. Van Daan, que relaciona tudo consigo própria, disse:

– Eu também sou muito modesta, muito mais modesta do que o meu marido.

O sr. Van Daan quis amenizar essa frase e disse com calma:

– Não quero ser muito modesto, porque acho que as pessoas vaidosas vão muito mais longe na vida.

E depois se dirigiu a mim:

– Não seja demasiado modesta, Anne, não vai servir para nada.

A mamãe concordou, mas a Sra. Van Daan teve que meter de novo o bedelho e, em vez de falar para mim, dirigiu-se aos meus pais:

– Vocês têm uma maneira estranha de dizer as coisas à Anne. No meu tempo de moça, isso era impossível. Mas mesmo hoje não é assim que se educa os filhos, exceto em famílias modernas como a de vocês.

Com isso ela quis atacar o método de educação de minha mãe, tantas vezes discutido. Estava vermelha como fogo. Quando uma pessoa ferve daquela maneira, quase já perdeu o jogo de antemão. A mamãe, que estava muito calma, quis acabar com a discussão e disse:

– Sra. Van Daan, acho também melhor não ser muito modesto. Meu marido, a Margot e o Peter são, de fato, modestos demais. Seu marido, a senhora, Anne e eu não somos vaidosos, mas não nos deixamos ser passados para trás.

– Mas eu sou modesta, sra. Frank! Como se atreve a dizer o contrário?

– Não é exatamente vaidosa, sra. Van Daan, mas acho que modesta também não é.

– Então, queria saber quando é que não sou modesta. Se não cuidasse um bocado de mim, morreria provavelmente de fome. Sou tão modesta como seu marido.

Esse autoelogio fez com que minha mãe desse uma gargalhada, o que irritou a coitada de tal forma que continuou a falar e a falar sem conseguir acabar. No fim, se atrapalhou de tal modo que perdeu o fio da meada e, toda ofendida, levantou-se.

Por acaso o seu olhar caiu sobre mim. Mal ela tinha virado as costas, eu pus-me a abanar a cabeça, de um modo meio piedoso, meio irônico, quase sem querer. Ela, ao ver-me assim, começou a berrar, numa linguagem feia e vulgar como uma velha e gorda peixeira. Aquilo é que era um espetáculo divertido! Se eu soubesse desenhar, teria a eternizado naquela atitude. Que modelinho tão ridículo!

Vou dizer uma coisa: se quiser conhecer bem uma pessoa, tem que brigar com ela. Só então pode avaliá-la.

Sua Anne

TERÇA-FEIRA, 29 DE SETEMBRO DE 1942

Querida Kitty:

Tem sempre alguma coisa para contar nesta casa! Como não temos banheira, tomamos banho numa tina. E, como no escritório (quero dizer, em todo o andar de baixo) tem água quente, vamos os sete alternadamente para baixo. Mas somos muito diferentes uns dos outros no que se refere a pudor. Por isso, cada um, conforme a sua maneira de ser, escolheu um ou outro lugar para a higiene.

Peter toma banho na cozinha, embora esta tenha uma porta de vidro. Antes de começar o banho, avisa todo mundo e pede que não passemos por aquela porta durante uma meia hora.

O sr. Van Daan prefere tomar banho em cima. Acha que vale a pena carregar a água quente, escada acima, para poder gozar as comodidades do seu quarto. A sra. Van Daan, até hoje, ainda não tomou banho. Quer primeiro estudar qual o lugar mais conveniente para ela. O papai prefere o escritório particular, e a mamãe vai para trás do fogão, na cozinha. A Margot e eu escolhemos o escritório grande, para podermos chapinhar à vontade. Todos os sábados, à tarde, fechamos as cortinas e assim nos lavamos na penumbra. A que fica esperando observa, através de uma fenda das cortinas, o que se passa lá fora e se diverte com o vaivém das pessoas.

Mas tenho andado à procura de um lugar mais confortável. O Peter teve uma ideia boa: o grande w.c. que pertence ao escritório. Lá, eu posso ficar sozinha, acender a luz, fechar a porta e até despejar a água sem ajuda de ninguém. Hoje inaugurei o meu novo banheiro. Estou satisfeita.

Ontem o encanador esteve no andar de baixo para deslocar os canos que se ligam à canalização da nossa moradia. Isso tinha que ser feito, porque no inverno a água dos canos pode congelar.

Essa visita foi muito chata para nós. Não se podia abrir uma torneira nem usar o w.c. Talvez não seja muito elegante contar o que fizemos para remediar o mal. Mas não sou tão pudica que não possa falar em tais coisas. O papai e eu tínhamos tomado providências. Guardamos alguns frascos de conserva que usamos.

Não podiam ser despejados e tinham de ficar nos quartos. Mas achei isso menos repugnante do que estar todo o dia quieta, sem poder falar. Não pode imaginar quanto isso custou para mim, que tanto gosto de falar. Já somos obrigados a falar muito baixinho. Mas não falar nada e ficar sentada o dia inteiro sem me mexer acho que é dez vezes pior! Fiquei com o traseiro achatado e dolorido durante três dias. Precisei fazer ginástica todas as noites para me recuperar.

Sua Anne

QUINTA-FEIRA, 1 DE OUTUBRO DE 1942

Querida Kitty:

Ontem levei um susto terrível. Às oito tocou a campainha, e eu já imaginava o pior – já sabe o que quero dizer com isso. Mas disseram que deviam ter sido garotos, e eu me acalmei.

Agora os dias passam num silêncio! Na cozinha do escritório trabalha um farmacêutico, o sr. Lewin, que está fazendo experiências para a firma. Conhece bem a casa toda, e temos receio de que entre no laboratório antigo. Estamos muito quietos. Quem, há três meses, teria adivinhado que a Anne, sempre tão agitada, tinha de estar tanto tempo quieta numa cadeira, sem falar?

No dia 26, a sra. Van Daan fez aniversário. Não houve grande festa. Demos flores, uns presentinhos e um jantar melhor. É tradição o marido oferecer-lhe cravos vermelhos. Falando da sra. Van Daan, quero confessar uma coisa. As suas tentativas de flertar com meu pai me aborrecem do fundo do coração. Ela passa a mão no rosto e cabelo dele e lhe mostra as suas "lindas" pernas. Tenta, sempre que pode, chamar a atenção do Pim sobre ela. Pim não a acha bonita nem simpática e é indiferente às seduções dela. Não sou ciumenta, mas aquilo é duro de suportar. Já disse a ela na cara que mamãe não se porta assim com o sr. Van Daan.

O Peter, às vezes, é engraçado. Nos divertimos colocando fantasias. Outro dia, ele apareceu num vestido muito apertado de sua mãe, com um chapéu na cabeça. Eu vesti o terno dele e pus a sua boina. Todo mundo morreu de rir e a gente se divertiu muito.

Elli comprou saias para mim e para a Margot. São de má qualidade e muito caras. Ela nos arrumou lições de taquigrafia por correspondência. No ano que vem seremos taquígrafas. Que bom a gente poder aprender essa espécie de código secreto.

Sua Anne

> "Fiquei com o traseiro achatado e dolorido durante três dias. Precisei fazer ginástica todas as noites para me recuperar.

SÁBADO, 3 DE OUTUBRO DE 1942

Querida Kitty:

Ontem houve aqui uma grande confusão. A mamãe contou todas as minhas travessuras para o papai, mas exagerou muito. Chorou. Também chorei, e já tinha passado o dia cheia de dores de cabeça. Então falei para o papai que gostava mais dele do que da mamãe. O Pim disse que isso havia de passar, mas eu não acredito. Tenho que me esforçar para ficar calma quando falo com a mamãe. O papai quer que eu a ajude quando ela não se sente bem, mas eu não quero.

Estudo muito francês e estou lendo La Belle-Nivernaise.

Sua Anne

SEXTA-FEIRA, 9 DE OUTUBRO DE 1942

Querida Kitty:

Hoje só posso dar notícias tristes e deprimentes. Os nossos amigos e conhecidos judeus são deportados em massa. A Gestapo trata-os sem a menor consideração. Em vagões de gado, leva-os para Westerbork, o campo para judeus. Westerbork deve ser um lugar horrível. Estão lá milhares de pessoas e não há sequer lavatórios nem w.c. suficientes para todos. Pessoas dormem em barracas, homens, mulheres e crianças, todos misturados. Não podem fugir: quase todos podem se identificar pelas cabeças raspadas e pela aparência judia.

Se na Holanda as coisas são assim, como será nos lugares longínquos para onde levam essa gente? A emissora inglesa fala de câmaras de gás. De qualquer forma, talvez seja a câmara de gás a maneira mais rápida de se morrer... A Miep nos falou de acontecimentos terríveis e está perturbadíssima. Ainda há pouco, encontrou, em frente da sua porta, uma velhinha manca. Estava à espera do automóvel da Gestapo que recolhe as pessoas umas após outras. A velha tremia de medo. Os canhões da defesa soavam nos ares. Os raios dos projetores cruzavam no céu, a trovoada dos aviões ingleses ecoava entre as casas. Mas a Miep não teve coragem de arrastar a mulherzinha para dentro da sua casa. Os alemães castigam com dureza tais procedimentos.

Elli também está desanimada e triste. O seu noivo foi levado para trabalhar na Alemanha. Ela receia que o seu Dirk possa ser atingido quando há bombardeios.

O Dirk não foi o único que teve de partir. Todos os dias saem comboios de jovens, forçados a ir. Um ou outro consegue fugir pelo caminho ou se esconder, mas são tão poucos! A minha cantiga triste ainda não acabou. Já ouviu falar em reféns? Pois inventaram essa coisa requintada. Parece-me o pior de tudo o que inventaram. Gente inocente é presa. Se acontece uma sabotagem e não encontram os autores, eles simplesmente fuzilam alguns dos reféns. Depois publicam a notícia no jornal. E lembrar que também já fui alemã! Hitler tirou-nos a nacionalidade há muito tempo. Entre aquela espécie de alemães – os hitlerianos – e os judeus existe uma inimizade como não pode haver mais forte em todo o mundo!

Sua Anne

SEXTA-FEIRA, 16 DE OUTUBRO DE 1942

Querida Kitty:

Tenho muita coisa para fazer. Traduzi um capítulo de "La Belle-Nivernaise". Tirei todos os significados novos. Depois fiz um problema de matemática e ainda estudei três páginas de gramática. Não gosto nada dos problemas. O papai também os acha complicados. Às vezes, eu resolvo melhor do que ele, mas, para dizer a verdade, nem ele nem eu sabemos muito disso e acabamos quase sempre por chamar a Margot para nos dar uma ajuda.

Na taquigrafia, eu sou a melhor dos três. Ontem acabei de ler "Os Salteadores". É um bom livro, mas não se pode comparar a "Jop ter Heul". Continuo achando a Cissy Van Marxveldt uma escritora brilhante. Os meus filhos vão ler os seus livros. O papai me deu algumas peças de teatro de Korner: "O Primo de Bremen", "A Governanta", "O Dominó Verde". É um bom escritor.

A mãe, a Margot e eu voltamos a ser amigas, o que é muito bom. Ontem a Margot se deitou ao meu lado, na minha cama. Quase não tinha lugar para as duas. Mas você não faz ideia de como foi bom.

Ela me perguntou se podia ler o meu diário. Eu disse:

– Algumas passagens, pode.

Perguntei pelo diário dela. Disse que também me deixaria ler. Depois falamos sobre o futuro e perguntei o que ela quer ser. Mas não quis dizer, é um segredo. Falou vagamente que quer ser professora e suponho que deva ser verdade. Acho que sou curiosa demais. Hoje de manhã, me deitei na cama do Peter depois de ter expulsado ele de lá. Ficou furioso, mas nem liguei. Acho que podia ser mais amável comigo, pois ainda ontem lhe dei uma maçã.

Ontem perguntei à Margot se me achava feia. Ela me disse que eu tenho jeito de brincalhona e os olhos muito bonitos. Uma resposta um bocado vaga, não?

Até a próxima.

Sua Anne

TERÇA-FEIRA, 20 DE OUTUBRO DE 1942

Querida Kitty:

As minhas mãos ainda estão tremendo com o susto que levamos, embora isso já tenha acontecido há duas horas. Tem extintores de incêndio no prédio e ninguém nos tinha dito que vinham recarregá-los. Por isso, não tínhamos tomado cuidados especiais. De repente, escutei um martelar do outro lado, no vestíbulo. Pensei que fosse o marceneiro.

A Elli estava almoçando conosco. Avisei-a para não descer. O papai e eu resolvemos ficar de guarda e escutar atrás da porta até o homem acabar o trabalho. Depois de ele ter martelado quinze minutos, pôs a ferramenta em cima do armário (pelo menos foi o que supusemos) e bateu à nossa porta. Ficamos ambos pálidos. Teria percebido alguma coisa e queria agora decifrar o mistério? Com certeza, pois não parava de bater, puxar, empurrar. Eu ia quase desmaiando ao perceber que aquele estranho iria descobrir o nosso belo esconderijo. Estava pensando que iria morrer dentro de pouco, quando ouvi a voz do sr. Koophuis:

– Pelo amor de Deus, abram a porta. Sou eu.

Imediatamente abrimos. O gancho com que se fecha a porta por dentro e que os conhecidos também usam do outro lado estava preso e, por isso, não puderam nos avisar que vinha o operário. O homem já descera e o sr. Koophuis, que vinha buscar a Elli, não conseguia abrir a porta e fez aquele barulho todo. Que grande alívio! Na minha imaginação, eu tinha visto o homem prestes a entrar no nosso anexo e virar um gigante invencível. Enfim, tivemos sorte, pois não foi nada disso.

A segunda-feira foi um dia divertido! A Miep e o Henk passaram a noite aqui. A Margot e eu dormimos no quarto dos nossos pais, e o jovem casal, nas nossas camas. A comida estava um mimo. Mas não faltou também um pequeno incidente. Houve um curto-circuito, causado pelo abajur do papai, e, de repente, ficamos no escuro. A caixa onde se encontram os fusíveis fica no fundo do armazém e não é brincadeira chegar lá sem luz. Mas conseguimos. Em dez minutos os estragos estavam reparados e apagamos as velas.

Levantamos cedo. O Henk tinha de ir embora às oito e meia e queríamos tomar o café da manhã com ele e a Miep, sem pressa. Chovia muito. A Miep desceu ao escritório radiante por não precisar fazer a caminhada de costume. O papai e eu fizemos as arrumações e depois comecei a pôr verbos franceses na cabeça. Em seguida, comecei a ler "Eternamente Cantam as Florestas", um belo livro. Estou quase no fim.

Esta semana a Elli vem dormir aqui!

Sua Anne

QUINTA-FEIRA, 29 DE OUTUBRO DE 1942

Querida Kitty:

Estou aflita! O papai está doente. Tem muita febre e manchas vermelhas pelo corpo, como acontece quando se tem o sarampo. A mamãe está cuidando para que ele transpire muito, porque assim talvez a temperatura baixe.

Hoje de manhã, a Miep nos contou que a casa dos Van Daans foi toda despejada pelos alemães. Ainda não dissemos nada à sra. Van Daan. Está muito nervosa ultimamente e não queremos ouvi-la falar outra vez, durante horas, do seu lindo serviço de porcelana e das mobílias valiosas que tinha em casa. Também nós tivemos de abandonar tantas coisas bonitas! E nada adianta se lamentar.

Já me deixam ler, de vez em quando, livros para adultos e, agora, estou lendo "A Juventude de Eva", de Nico Van Suchtelen. Não encontro grande diferença entre esse livro e a literatura para jovens. Sei que, nesse livro, falam de mulheres que vendem o corpo a homens estranhos para ganhar dinheiro. Eu morreria de vergonha! Também se conta que Eva começou a ter o "incômodo". Queria começar a ficar incomodada. É que isso nos valoriza.

O papai foi buscar no armário os dramas de Goethe e de Schiller. Vai ler agora todas as noites em voz alta.

Começamos com *Don Carlos*. Para seguir o bom exemplo do papai, a mamãe entregou-me o seu livro de rezas. Eu não quis ser indelicada e li umas páginas. Acho o livro bonito, mas aquilo não me diz nada. Por que é que a mamãe quer que eu seja religiosa à força?

Amanhã acenderemos o fogão pela primeira vez. Imagino a fumaça que vai fazer, porque há muito tempo que não se limpa a chaminé.

Sua Anne

SÁBADO, 7 DE NOVEMBRO DE 1942

Querida Kitty:

A mamãe está muito nervosa e isso é um perigo para mim, porque sou sempre eu quem paga o pato. Por exemplo, ontem à noite, a Margot estava lendo um livro com lindas ilustrações. Ela foi para cima e deixou o livro para continuar quando voltasse. Peguei o livro e comecei a ver as gravuras. A Margot voltou, viu o "seu" livro nas minhas mãos e franziu a testa. Queria-o outra vez. Eu estava com vontade de ver mais um bocadinho, mas a Margot ficou brava. Então a mamãe disse:

– Era a Margot quem estava lendo. Devolva para ela.

Nesse momento entrou o papai. Pensou logo que quem tinha razão era a Margot e disse para mim:

– Queria ver a sua cara se a Margot folheasse um livro seu.

Cedi imediatamente e devolvi o livro. Então disseram que eu fiquei ofendida. Mas eu não me sentia ofendida nem brava, apenas estava triste, muito triste.

O papai foi injusto, não devia julgar o caso sem conhecer. Eu teria devolvido o livro à Margot por minha vontade, e muito mais depressa, se meus pais não tivessem se metido no assunto e tomado logo partido dela. Que a mamãe se ponha do lado da Margot, é coisa natural. Morrem uma pela outra. Já estou tão habituada que não me importo com as descompostures da mamãe nem com o mau gênio da Margot.

Sou amiga delas porque uma é minha mãe e a outra, minha irmã. Mas com o papai a coisa é diferente. Quando ele dá preferência à Margot, quando acha bom tudo o que ela faz e lhe dá mimos, então fico mal, pois o papai é tudo para mim! É o meu ideal, e amo-o como não amo a mais ninguém neste mundo. Sei que ele nem percebe que trata a Margot de maneira diferente.

Também não se pode negar que a Margot é mais inteligente, mais bonita e melhor. Mas não terei o direito de ser levada a sério? Eles acham que eu sou a palhaça da família e sofro duplamente por levar tanta bronca. Os carinhos superficiais já não me satisfazem, nem sequer as tais conversas chamadas sérias. Espero do papai alguma coisa mais, que ele certamente poderá me dar. Não que tenha inveja da Margot. Não cobiço a sua inteligência nem a sua beleza. O que eu queria era o amor do papai, não só como sua filha, mas como Anne, o ser humano que sou.

Agarro-me ao papai por ser ele o único que me faz conservar o sentimento da família. Mas ele não compreende que eu, às vezes, tenha necessidade de abrir-me abrir, de falar sobre a mamãe. O papai não quer falar dos defeitos da mamãe e se esquiva propositadamente a qualquer conversa sobre o assunto. Mas o jeito da mamãe me pesa no coração. Às vezes, não consigo me dominar, e faço ver o seu desprezo, ironia e dureza. A culpa não é sempre minha, não é verdade?

Sou em tudo o contrário da mamãe e, por isso, é inevitável que nos choquemos. Não estou criticando o seu caráter, pois isso não me compete. Vejo-a apenas como minha mãe. E ela não é, para mim, a mãe que idealizei. Parece que tenho de ser eu própria a minha mãe. Desprendi-me deles, sigo o meu próprio caminho. Quem sabe aonde chegarei um dia? Na minha imaginação, vejo o ideal de mulher e de mãe, mas, naquela a que tenho de dar o nome de mãe, nada disso encontro.

Tento sempre não reparar nos seus defeitos, ver somente as suas qualidades e desenvolver em mim o que nela procuro. Mas não é fácil, e o pior: é que nem o papai nem a mamãe querem ver o que me falta, e é isso que me incomoda. Será possível que existam pais capazes de contentarem inteiramente os filhos?

Às vezes, penso que Deus quer pôr-me à prova. Tenho de me aperfeiçoar sozinha, sem exemplo e sem ajuda, só assim serei, um dia, forte e resistente.

Quem, além de mim, lerá estas coisas? Quem pode me ajudar? Necessito de ajuda e de consolo! Sou, muitas vezes, fraca e incapaz de ser aquilo que gostaria de ser. Sei que tento todos os dias melhorar. Nem sempre me tratam da mesma maneira. Um dia, pertenço à classe dos adultos e posso saber tudo, e, no dia seguinte, a Anne não passa de um ser inexperiente que julga ter aprendido alguma coisa nos livros, mas que, na realidade, não sabe nada. Ora, eu não sou um bebê nem uma boneca para os divertir. Tenho os meus ideais, o meu modo de pensar e os meus planos, embora ainda me falte a capacidade de traduzir tudo isso em palavras.

Ai! Tantas, tantas dúvidas que me surgem quando estou só, à noite, ou mesmo durante o dia, quando estou encerrada com toda essa gente que já não posso ver à minha frente e de que estou farta até não poder mais. Eles nada compreendem dos meus problemas. Assim, volto sempre ao meu diário. É ele o meu princípio e o meu fim. A você, Kitty, nunca falta a paciência e lhe prometo que vou aguentá-la. Vou vencer a minha dor e seguir o meu caminho. Só gostaria de ter, de vez em quando, um pouco de sucesso, de ser estimulada e encorajada por alguém que me tivesse amor!

Não me condene! Por favor, compreenda que, às vezes, não posso mais!

Sua Anne

SEGUNDA-FEIRA, 9 DE NOVEMBRO DE 1942

Querida Kitty:

Ontem foi aniversário do Peter. Fez dezesseis anos e ganhou presentes interessantes: um jogo Monopólio, um aparelho de barbear e um isqueiro. Não que ele fume muito, ele só fuma para se exibir.

Foi o sr. Van Daan que fez a maior surpresa: deu a notícia de que os ingleses desembarcaram em Túnis, Casablanca, Argel e Orã.

– É o princípio do fim! – disseram todos.

Mas Churchill, o primeiro-ministro da Inglaterra, que com certeza, sabe mais disso, declarou num discurso:

– Esse desembarque é uma fase importante, mas ninguém deve se convencer de que ele significa o princípio do fim. Eu quero antes dizer que significa o fim do princípio.

Compreende a diferença? Mas, mesmo assim, há motivos para sermos otimistas. Stalingrado, a grande cidade russa, que os alemães já cercam há três meses, ainda não se rendeu.

Voltemos agora aos assuntos cotidianos. Quero descrever como nós, aqui no anexo, nos abastecemos de gêneros. Antes de mais nada, digo que os de cima são uns gulosos terríveis. O pão é fornecido por um padeiro simpático que o sr. Koophuis conhece muito bem. Não podemos receber tanto como antigamente em nossa casa, mas é o suficiente. Os talões de alimentação são comprados clandestinamente. Estão cada vez mais caros. Primeiro, pagáva-

“Quem, além de mim, lerá estas coisas? Quem pode me ajudar? Necessito de ajuda e de consolo! Sou, muitas vezes, fraca e incapaz de ser aquilo que gostaria de ser.

mos por eles vinte e sete florins e, agora, já custam trinta e três. Imagine, um simples pedacinho de papel!

Para termos, além das conservas, alimentos em casa que não se estraguem, compramos 35 quilos de legumes desidratados que penduramos em sacos no corredor, atrás da porta giratória. Mas, com o peso, as costuras se rompem e, por isso, resolvemos levar todas essas reservas de inverno para o sótão.

Peter ficou com a tarefa de carregar os sacos. Ele já tinha levado cinco para cima e estava prestes a carregar o sexto quando rebentou a costura inferior. Uma chuva, não, uma saraivada de feijão vermelho desabou sobre a escada. Os outros, lá embaixo (felizmente não havia estranhos no prédio), julgavam que a casa ia ruir. O Peter levou um susto, mas, quando me viu ao pé da escada, coberta de feijões que iam se amontoando no chão até acima dos tornozelos, desatou numa grande gargalhada.

Começamos a apanhar os feijões rapidamente, mas os grãos são tão pequenos e escorregadios que passavam pelos dedos e desapareciam em todos os buracos e buraquinhos. Agora, sempre que alguém sobe a escada, encontra um ou outro feijão que entrega lá em cima à sra. Van Daan.

Quase me ia esquecendo do mais importante: o papai já está completamente bem!

Sua Anne

P S: Na rádio acabam de anunciar que Argel caiu. Marrocos, Casablanca e Orã também estão nas mãos dos ingleses. Agora não deve demorar a queda da Túnis.

TERÇA-FEIRA, 10 DE NOVEMBRO DE 1942

Querida Kitty:

Uma novidade sensacional! Vamos receber mais uma pessoa em nosso esconderijo. Sempre falamos que ainda havia lugar e comida para mais uma pessoa. Só não queríamos era dar mais trabalho ao Kraler e ao Koophuis. Mas, como as notícias sobre as terríveis perseguições aos judeus se tornam cada vez piores, o papai resolveu sondar as possibilidades.

Resultado: Os dois senhores concordaram logo com a ideia. – O perigo é o mesmo para sete ou para oito – disseram, e com razão.

O problema a resolver em seguida era saber qual das pessoas isoladas das nossas relações se adaptaria melhor a nossa família escondida. Não foi difícil a escolha. Depois de o papai ter rejeitado todas as propostas do sr. Van Daan para receber uma pessoa da família dele, optaram por um dentista muito conhecido, de nome Albert Dussel. A mulher dele está no exterior. Tem fama de pessoa agradável e tanto nós como os Van Daan simpatizamos com ele. Como a Miep também o conhece bem, pode tratar de tudo. Se ele aceitar, terá de dormir no meu quarto, no lugar da Margot, que dormirá em uma cama de armar, no quarto dos meus pais.

Sua Anne

QUINTA-FEIRA, 12 DE NOVEMBRO DE 1942

Querida Kitty:

O Dussel ficou muito contente quando a Miep lhe falou de um bom esconderijo. Ela aconselhou-o a vir o mais depressa possível, de preferência depois de amanhã. Mas ele hesitou porque ainda precisava pôr as fichas em ordem, acabar o tratamento de dois clientes e pôr as contas em dia. Foi o que a Miep nos contou hoje de manhã. Não achamos nada bom, pois qualquer demora pode ser prejudicial. Tais preparativos podem exigir, da parte do Dussel, explicações a pessoas que não queríamos que desconfiassem de nada. Pedimos à Miep que o aconselhasse a vir no sábado. Ele disse que não, que vinha na segunda-feira. É ridículo. Devia ter aproveitado logo. Se o prenderem na rua, também não pode pôr em dia a caixa ou acabar o tratamento dos clientes. Quanto a mim, acho que o papai não devia ter cedido. De resto, nada de novo.

Sua Anne

TERÇA-FEIRA, 17 DE NOVEMBRO DE 1942

Querida Kitty:

O Dussel chegou. Tudo correu bem. A Miep tinha lhe dito que esperasse em frente ao correio geral. Pontualmente, ele estava lá. Então o sr. Koophuis, que o conhece, foi ter com ele. Disse-lhe que o senhor com quem ele deveria se encontrar viria um bocado mais tarde e que ele, Dussel, esperasse junto da Miep, no escritório. Koophuis pegou um bonde, enquanto o Dussel seguia a pé. Chegou ao escritório às onze e meia. A Miep o fez tirar o sobretudo para que ninguém visse a estrela amarela e, depois, pediu-lhe que esperasse no escritório particular do sr. Koophuis.

Ela queria que a mulher da limpeza fosse primeiro embora. Mas, é claro, o Dussel de nada sabia. Depois, a Miep levou-o para o andar de cima. Disse-lhe que não podia estar mais tempo naquele escritório porque, dali a pouco, os chefes tinham uma reunião. O espanto do homem foi grande quando viu a porta giratória abrir. Ambos entraram.

Nós estávamos todos lá em cima, com os Van Daan, para receber o nosso companheiro com café e conhaque. Entretanto, a Miep o fez entrar na nossa sala de estar. Ele reconheceu logo a mobília, mas, mesmo assim, não suspeitou que estivéssemos tão próximos. Quando a Miep lhe disse, ele ficou de boca aberta, e ela nem lhe deu tempo de fechá-la. Ela o fez subir imediatamente a escada.

O Dussel caiu numa cadeira, cravou os olhos em cada um de nós e não quis acreditar no que viu. Depois começou a balbuciar:

– Mas... não... mas então, não estão na Bélgica? O tal oficial não veio buscar? E o automóvel? Não foram bem-sucedidos na fuga?...

Explicamos que nós mesmos tínhamos forçado a história do oficial para despistar as pessoas, em especial os alemães, que podiam andar à nossa procura. Dussel ficou impressionado com tanto engenho e mais impressionado ainda quando examinou todo o nosso esconderijo tão bem imaginado e tão bem montado. Comemos todos juntos. Depois ele se deitou um pouco, tomou o chá conosco e pôs nos devidos lugares as suas coisas, que tinham trazido antes de ele chegar. Logo se sentiu como em sua casa, sobretudo depois de lhe terem sido entregues os regulamentos do anexo (o plano foi feito pelo sr. Van Daan).

Prospecto e guia do anexo secreto:

- Fundação criada propositadamente para a estadia provisória de judeus e similares.
- Aberta todo o ano.
- Bem localizada, calma, com arredores sem florestas, no coração de Amsterdã. Acessível pelas linhas 19 e 17; de automóvel ou bicicleta; e a pé para aqueles a quem os alemães proibiram o uso de qualquer veículo.
- Estadia gratuita.
- Cozinha de dieta sem gorduras.
- Água corrente no quarto de banho (sem banheira) e também em várias paredes.
- Espaço amplo para guardar bens de todos os tipos.
- Central de rádio, com emissões diretas de Londres, Nova Iorque, Tel Aviv e muitas outras estações. O aparelho está à disposição dos habitantes das seis horas da tarde em diante.
- Horas de repouso: das dez horas da noite às sete e trinta da manhã. Domingo até as dez horas.
- Atendendo a certas circunstâncias, também se intercalam outras horas de repouso, conforme indicações da direção. Essas indicações devem ser rigorosamente seguidas, no interesse da segurança comum!!!
- Uma lição de taquigrafia por semana. Inglês, Francês e Matemática, a qualquer hora do dia. Café da manhã todos os dias, com exceção de domingos e feriados, pontualmente às nove horas.
- Almoço: das onze e quinze às treze e quarenta e cinco. Jantar: frio ou quente, não tem horário fixo devido às notícias da rádio. A tina está à disposição dos habitantes todos os domingos desde as nove horas. Podemos tomar banho no w.c., na cozinha, no escritório particular ou no outro escritório, conforme o gosto de cada um. Bebidas alcoólicas fortes só são permitidas por ordem médica.

Sua Anne

QUINTA-FEIRA, 19 DE NOVEMBRO DE 1942

Querida Kitty:

Não estamos desapontados. Até que o Dussel é um homem simpático. Para dizer com franqueza, não acho muito agradável que um estranho use minhas coisas no quarto, mas, para fazer uma boa ação, todos devemos nos sacrificar. Nada importa se pudermos salvar alguém, diz o papai, e tem toda razão.

Logo no primeiro dia, o Dussel perguntou-me uma série de coisas, por exemplo, quais eram as horas da mulher da limpeza, e quais as do w.c., e onde me parecia o melhor lugar para se tomar banho. Não ria, Kitty, mas no esconderijo todas essas coisas são importantes. Lá embaixo tem tantas pessoas que não conhecem o nosso segredo! É necessário saber bem as horas de trabalho delas para não fazermos barulho. Já expliquei tudo isso ao Dussel, mas fiquei espantada por ele ser tão lento.

Pergunta as coisas duas vezes e, mesmo assim, não as fixa. Talvez ainda esteja um pouco atrapalhado. A surpresa foi muito grande e é natural que ele tenha de se adaptar.

O Dussel tem contado muitas coisas do mundo exterior, de onde partimos há tanto tempo. Tudo que conta é triste. Inúmeros amigos e conhecidos foram levados das suas casas e um destino terrível os espera. Noite após noite, os automóveis cinzentos e verdes dos militares atravessam as ruas a toda velocidade. Os "verdes" (a SS alemã) e os "pretos" (a polícia nazi holandesa) procuram os judeus. Se encontram algum, levam com toda a família. Tocam, por exemplo, numa porta e, se não encontram lá nenhum judeu, tocam na do vizinho, e assim por diante. Às vezes, andam com listas de nomes e procuram os "marcados" sistematicamente. Só consegue escapar quem consegue fugir a tempo. Às vezes, aceitam um resgate, mas são poucos os que conseguem escapar.

Fazem, hoje, o que há muitos anos foi feito com os escravos. Maltratados, torturados, mortos, enfim. O que aconteceu com eles, nos tempos antigos, está hoje acontecendo com os judeus. Não poupam ninguém, homens, mulheres, velhos, crianças.

E nós aqui tão bem guardados! Podíamos fechar os olhos a toda essa miséria, mas estamos sempre em aflição por aqueles que nos são caros e a quem não podemos dar uma ajuda.

Quando estou deitada na minha cama tão quente e confortável, enquanto as mais queridas amigas sofrem lá fora, talvez expostas ao vento e à chuva, mortas até, sinto-me quase má. Tenho medo ao pensar em todas as pessoas às quais tanta coisa me liga e ao lembrar-me de que estão entregues aos mais cruéis carrascos que a história dos homens já conheceu. E tudo isso só por serem judeus!

Sua Anne

“Das quatro e meia em diante não podemos ler mais. Matamos então o tempo com várias distrações: adivinhas, ginástica, falar inglês ou francês ou sobre os livros que acabamos de ler...

SEXTA-FEIRA, 20 DE NOVEMBRO DE 1942

Querida Kitty:

Estamos todos um pouco desconcertados. Até agora só recebíamos de vez em quando notícias sobre os judeus. E talvez fosse melhor assim. Quando a Miep às vezes falava do destino trágico de pessoas nossas conhecidas, a mamãe e a sra. Van Daan punham-se logo a chorar, de modo que ela achou melhor não contar mais nada.

Fizemos muitas perguntas ao Dussel e o que ele conta é medonho, é bárbaro. Não se consegue pensar em outra coisa. Será possível que alguma vez mais possamos sair e nos divertir como outrora, mesmo quando tudo isso tiver passado? Mas a verdade é que se transformarmos o nosso esconderijo numa casa de luto, se ficarmos sempre melancólicos, não adianta nada, nem para nós nem para os que lá fora sofrem.

Não posso fazer coisa nenhuma sem pensar naquela gente que partiu. Se rio despreocupadamente, me acho injusta por estar alegre. Mas vou chorar todo dia? Não, não posso. E o desânimo certamente passará. Além dessas misérias, há outra coisa desagradável, assunto pessoal e depois que nenhuma importância tem comparado às tragédias de que acabo de falar: quero dizer que me sinto muito só ultimamente! Sinto um vácuo enorme dentro de mim. Antigamente, não pensava muito nisso. Os divertimentos e as amizades me tomavam o tempo. Mas, agora, preocupam-me problemas sérios. Reconheci, por exemplo, isto: o papai, embora me seja tão querido, não pode substituir todo o meu mundo de outrora.

Acha que sou ingrata, Kitty? Às vezes, tenho a impressão de não poder suportar mais ouvir todas essas coisas horríveis, ter as minhas próprias dificuldades e, ainda por cima, ser o bode expiatório para tantas coisas que acontecem!

Sua Anne

SÁBADO, 28 DE NOVEMBRO DE 1942

Querida Kitty:

Gastamos eletricidade demais, ultrapassamos os limites. Temos de fazer economia, caso contrário nos cortam a corrente e estaremos quinze dias sem luz. Das quatro e meia em diante, não podemos ler mais. Matamos então o tempo com várias distrações: adivinhas, ginástica, falar inglês ou francês ou sobre os livros que acabamos de ler... Com o tempo, tudo se torna monótono. Descobri uma coisa nova: com o binóculo posso espreitar os quartos iluminados dos vizinhos da frente. Durante o dia, não podemos abrir as cortinas nem um centímetro, mas, à noite, já pode ser. Eu, antes, não sabia que os vizinhos são pessoas tão interessantes. Observei alguns enquanto comiam; numa outra família, passavam um filme, e o dentista, mesmo em frente, estava tratando uma velhinha cheia de medo.

A propósito de dentista! O sr. Dussel, de quem se dizia saber lidar tão bem com crianças e gostar muito delas, é um chato, antiquado. A cada passo faz sermões sobre boas maneiras e bom comportamento. Como sabe, tenho a pouca sorte de dividir o quarto com esse senhor tão respeitável e, como sou tida como a mais mal-educada dos três jovens daqui, nem sei como escapar de tantas broncas e alertas. Olha, finjo que sou surda! Mas aguentaria tudo isso se o homem não fosse um grande dedo-duro e se não tivesse escolhido a mamãe para as suas reclamações. Assim, recebo primeiro uma ensaboadela dele, depois a mamãe junta outra e, se estou com sorte, a sra. Van Daan também mete o bedelho para me censurar.

Ai, Kitty, não é fácil ser a pessoa mais mal-educada, ou, antes, o para-raios de uma família escondida que sempre critica e corrige! À noite, na cama, quando passo em revista todos os meus pecados e todos os defeitos que me atribuem, perco-me nessa abundância de queixas e, quase sempre, começo a chorar... ou a rir, conforme a disposição. Depois adormeço com a ideia tola de querer ser diferente do que sou ou de que não sou como queria ser e de que faço tudo ao contrário. Queria agir de outra maneira e não ser como sou. Santo Deus! Agora estou embaralhando tudo, não fique brava! Mas não risco o que está escrito e rasgar a folha também não posso, porque há grande falta de papel. Seria mesmo pecado! Assim, só posso aconselhar a não voltar a ler a última frase nem tentar se aprofundar, que é capaz de não conseguir voltar à superfície!

Sua Anne

SEGUNDA-FEIRA, 7 DE DEZEMBRO DE 1942

Querida Kitty:

Chanukah e São Nicolau quase coincidem este ano. O Chanukah comemoramos apenas com as velas, mas, como são agora uma preciosidade, só as acendemos durante dez minutos. Com as velas acesas, cantamos a canção de Chanukah! O sr. Van Daan montou um lindo candelabro. O São Nicolau, no sábado, foi ainda mais lindo.

A Elli e a Miep vieram para cima cochichar com o papai e, assim, estávamos todos muito curiosos, pois desconfiamos que estavam preparando alguma surpresa.

Às oito horas, descemos a escada, através do corredor escuro (arrepiei-me toda, tinha medo de não voltar inteirinha), para o escritório, no outro andar. É um quarto sem janelas e, assim, podíamos acender a luz. O papai abriu o armário e todos exclamaram: "Que lindo!". No centro, estava um grande cesto, enfeitado com papéis coloridos e guarnecido simbolicamente com a máscara do Pedro Preto, o ajudante de São Nicolau.

Levamos o cesto para cima. Cada um recebeu seu presente, com um versinho. Ganhei uma boneca, cuja saia serve para guardar coisas. Papai recebeu um suporte para livros; a mamãe, um calendário, a sra. Van Daan, uma bolsa para guardar pano de pó; o sr. Van Daan, um cinzeiro... Todos os presentes tinham sido bem elaborados. Foi um sucesso nosso primeiro São Nicolau.

Também demos presentes para nossos amigos lá de baixo, coisas que tínhamos ainda dos velhos tempos. Disseram-nos hoje que o sr. Vossen fez com as próprias mãos o cinzeiro para o sr. Van Daan e os suportes para o papai. Acho admirável alguém fazer coisas tão bonitas.

Sua Anne

QUINTA-FEIRA, 10 DE DEZEMBRO DE 1942

Querida Kitty:

Em outros tempos, o sr. Van Daan negociava frios, salsichas, chouriços e outras especialidades. A firma contratou-o por ser um comerciante muito hábil e experiente. E agora ficamos maravilhados com a sua habilidade de salsicheiro.

Encomendamos, no mercado negro, carne para fazer conservas para os tempos difíceis. É interessante ver a carne passar pela máquina, duas ou três vezes. Depois juntam-se os temperos, mistura-se tudo bem e, por fim, enchem-se as tripas com aquela massa. Comemos salsichas frescas no almoço com chucrute! As salsichas têm de secar bem e, por isso, colocamos num varal suspenso no teto. Sempre que alguém entra no quarto e vê as salsichas balançando, não pode deixar de rir. É uma exposição engraçada.

Havia uma tremenda desordem no quarto. O sr. Van Daan (com um avental da esposa), todo gorducho, mais gorducho ainda do que de costume, tratava da carne. Parecia mesmo um açougueiro, com as mãos cheias de sangue, a cara vermelha e o avental sujo. A sra. Van Daan quer fazer mil coisas ao mesmo tempo: estudar holandês por um livro, remexer a sopa, examinar a carne com que o marido trabalha e ainda tem tempo para se queixar das suas costas doloridas.

Bem feito! Quem é que manda as senhoras vaidosas fazerem ginástica só porque não querem ter um traseiro gordo?

O Dussel estava com um olho inflamado e estava junto ao fogão fazendo compressas. O papai, sentado na cadeira, procurava aproveitar os poucos raios de sol. Julgo que tenha dores de reumatismo, estava todo encolhido e seguia com olhos tristes o trabalho do sr. Van Daan. O Peter corria pelo quarto atrás do gato, que se chama Mouschi. A mamãe, a Margot e eu descascávamos batatas. Fazíamos automaticamente, pois contemplávamos, fascinadas, a atividade do sr. Van Daan.

O Dussel inaugurou o consultório de dentista. Vai se divertir ao saber da primeira consulta. A Miep passava ferro enquanto a sra. Van Daan arrumou a primeira paciente. Estava sentada numa cadeira, no meio do quarto, enquanto o Dussel tirava cerimoniosamente todos os seus instrumentos. Pediu água-de-colônia para desinfetar e vaselina para substituir a cera. Depois olhou para dentro da boca da sra. Van Daan. Tocou-lhe num dente molar, cutucou com um ferrinho, o que a fazia estremecer e gemer sem noção, como se estivesse morrendo de dores. Depois de um exame sem fim – pelo menos na opinião da doente, pois na realidade só tinham passado dois minutos –, o Dussel queria começar a obturar um dente. Mas isso sim! A sra. Van Daan se defendeu com braços e pernas, de tal maneira, que o Dussel teve de largar o gancho com que limpava o buraquinho. O gancho ficou lá, espetado no dente. Tinha que ver! A senhora se agitava para um lado e para o outro, tentava tirar o gancho, mas só conseguia cravar ainda mais. O Dussel não se comovia. De mãos nos bolsos observava o espetáculo.

E nós, os outros espectadores, rimos. Não o devíamos ter feito. Fomos velhacos! Eu também teria me portado assim e teria gritado o quanto pudesse.

Depois de muito esforço, suspiros e gemidos, a sra. Van Daan tirou o ferro, e o Dussel retomou o seu trabalho como se nada tivesse acontecido. Tão depressa manejou os instrumentos, que a senhora não teve tempo para mais brincadeiras. Mas suponho que ele nunca teve na sua consulta ajudantes tão prestáveis. O sr. Van Daan e eu éramos os assistentes e, agora, imagino tudo aquilo como um quadro da Idade Média: "Charlatães trabalhando". Por fim, a paciência da senhora acabou. Disse que tinha que olhar a comida. Uma coisa é certa: tão cedo não voltará ao dentista.

Sua Anne

DOMINGO, 13 DE DEZEMBRO DE 1942

Querida Kitty:

Sentada confortavelmente à janela do escritório grande, estou observando, através de meia fenda da cortina, o que se passa lá fora. Anoitece, mas ainda consigo ver o suficiente para escrever.

É curioso ver as pessoas a correr! Parece que estão com pressa, quase que tropeçam nos seus próprios pés. Os ciclistas passam numa velocidade que não consigo distinguir as mulheres dos homens.

Este quarteirão é de gente do povo e a maioria tem aparência pobre. As crianças andam tão sujas que eu só me atreveria a tocar nelas com pinças. São autênticos moleques e falam um dialeto que quase não compreendo.

Ontem, quando a Margot e eu estávamos tomando banho, tive uma ideia: se pudéssemos pescar algumas daquelas crianças pela janela, com um anzol, daríamos um banho, vestiríamos e depois soltaríamos de novo.

– Amanhã estariam sujas de novo! – interrompeu-me a Margot.

Há mais coisas para ver: automóveis, barcos e a chuva. Escuto o barulho do bonde e fico imaginando uma porção de coisas. Como nós, aqui, não temos estímulos, os nossos pensamentos também pouco variam. Dos judeus passamos para comida, da comida à política, da política... Mas já que falo de judeus: ontem, ao espreitar pela cortina, vi dois judeus. É uma sensação estranha, quase como se eu os traísse e estivesse aqui para espionar a sua infelicidade.

Bem em frente desta casa, há um barco habitado por um pescador com a família. Eles têm um cãozinho que já conhecemos pelo latido. A gente vê o rabinho dele quando corre ao longo da borda do barco.

Agora chove a cântaros e as pessoas se escondem debaixo dos guarda-chuvas. Só vejo capas de chuva e chapéus. Nem preciso ver mais, porque já conheço bem aquelas mulheres metidas nos seus casacos vermelhos ou verdes, com calçados tortos, uma bolsa gasta debaixo do braço, os corpos inchados por comerem batatas demais e outras coisas de menos. Uma traz a tristeza estampada no rosto, outra parece feliz, mas isso depende do bom ou do mau humor dos seus maridos.

Sua Anne

“ As notícias lá de fora são horríveis. Dia e noite arrastam os coitados de suas casas. Só deixam levar o que cabe na mochila e algum dinheiro (mas tiram mais tarde).

TERÇA-FEIRA, 22 DE DEZEMBRO DE 1942

Querida Kitty:

O pessoal do Anexo Secreto ficou feliz em saber que cada um de nós terá para o Natal meio quarto de manteiga, fora a do racionamento. Oficialmente recebemos meio quilo, mas isso é para os mortais felizes que vivem lá fora, na liberdade. Gente escondida como nós, que com oito cartões de racionamento só pode comprar as mercadorias para quatro pessoas, fica radiante com tão pouco! Cada um de nós quer fazer doces com a sua manteiga. Eu farei bolachas e duas tortas. Temos muito que fazer e a mamãe disse que não me deixaria ler nem estudar enquanto não tivesse acabado as minhas obrigações domésticas.

A sra. Van Daan está na cama, por causa da coluna. Reclama o dia inteiro. Cuidamos dela e trocamos as compressas, mas ela nunca está satisfeita. Só queria que já estivesse outra vez em pé e se virasse sozinha. Mas tenho que ser justa: ela é muito trabalhadeira e, quando se sente bem, moral e fisicamente, chega a ser divertida.

Todo dia me fazem pssit! Pelo visto, sou muito barulhenta e, como se ainda não bastasse, o meu companheiro de quarto resolveu fazer pssit durante a noite. Nem sequer admite que me vire na cama. Faço de conta que não me importo, mas, qualquer dia, vou retribuir-lhe uns pssits. Aliás, aos domingos, ele acaba com minha paciência. Acende a luz de madrugada para fazer ginástica.

Aquilo parece-me que dura horas, e, como ele está sempre distraído, bate contra as cadeiras que servem para prolongar a minha cama. E acabo acordando. Mas, como ainda não dormi o bastante, queria adormecer de novo. Depois de ter percorrido os caminhos da força e da beleza, ele começa a fazer a toalete! As cuecas estão penduradas num gancho. Portanto, vai até lá e volta. Mas, já se vê, esqueceu a gravata em cima da mesa. Lá vai ele para lá, para cá, esbarrando com as cadeiras. E pronto! Acabou o meu descanso dos domingos! Mas valerá a pena a gente queixar-se de homens velhos e esquisitos? Às vezes, tenho vontade de dar um trote: fechar a luz, desparafusar a lâmpada e esconder as roupas dele. Mas não faço nada disso por amor à santa paz.

Ai! Como estou ficando ajuizada! Aqui é preciso ter juízo a cada passo: para não responder, para cumprir as ordens, para ser sempre amável, prestativa, transigente e sabe Deus o que mais! Estou abusando do meu juízo que, já por si, não vai longe, e receio que não me sobre nenhum para depois, para quando a guerra acabar.

Sua Anne

QUARTA-FEIRA, 13 DE JANEIRO DE 1943

Querida Kitty:

Hoje estamos todos perturbados, não conseguimos fazer nada com calma. As notícias lá de fora são horríveis. Dia e noite arrastam os coitados das suas casas. Só deixam levar o que cabe na mochila e algum dinheiro (mas tiram mais tarde). Separam as pessoas em três grupos, homens, mulheres e crianças. É comum as crianças voltarem da escola e não encontrarem os pais, ou as mulheres voltarem das compras e darem com a casa vazia. O resto da família já desapareceu.

Nos círculos cristãos também já reina o desassossego. Os jovens são enviados para a Alemanha. Toda a gente tem medo!

E, durante as noites, centenas de aviões sobrevoam a Holanda para lançar uma chuva de bombas na Alemanha. A cada hora tombam homens na Rússia e na África. A Terra enlouqueceu, há destruição por toda parte. A situação melhorou para os Aliados, mas o fim de tudo isso ainda está longe.

Nós aqui estamos bem, melhor do que milhares de outras pessoas. Estamos em segurança e podemos fazer planos para os tempos do pós-guerra. Podemos pensar nos vestidos e nos livros que iremos comprar em vez de estarmos sempre preocupados com cada tostão que se gasta inutilmente.

Há crianças, aqui no quarteirão, que andam de blusinhas leves, de tamancos, sem meias, sem sobretudos, sem boinas ou luvas. Têm o estômago vazio, mastigam cenouras, fogem das casas frias para as ruas úmidas e estudam em escolas sem aquecimento. Elas pedem pão às pessoas que passam! Chegaram até esse ponto as coisas na Holanda! Ouço falar, durante horas a fio, sobre a miséria que esta guerra trouxe e fico cada vez mais triste. Não temos outro remédio senão esperar, calma e serenamente, o fim de tanta infelicidade. Esperam os judeus, esperam os cristãos. Esperam os povos de todo o mundo... mas muitos esperam pela morte!

Sua Anne

SÁBADO, 30 DE JANEIRO DE 1943

Querida Kitty:

Estou com uma raiva que você nem faz ideia. Mas não posso contar para ninguém. Queria bater com os pés, gritar, sacudir a mão e não sei o que mais. E isso por causa das palavras zangadas, dos olhares irônicos, das acusações que me lançam todos os dias, como setas de um arco muito esticado. Queria gritar com a mamãe, a Margot, o Dussel e os Van Daans: Deixem-me em paz! Então não me deixam passar uma única noite sem molhar o travesseiro de lágrimas? Não posso adormecer uma única vez sem que os meus olhos ardam e a cabeça me pese centenas de quilos? Deixem-me! Queria ir embora deste mundo! Mas para que serviria? Eles nada sabem do meu desespero! Nada sabem das feridas que me fazem! Já não suporto por mais tempo a compaixão e a ironia deles. Só quero chorar!

Acham-me exagerada quando abro a boca, ridícula quando me calo, malcriada quando dou uma resposta, manhosa quando tenho uma boa ideia, preguiçosa quando estou com sono, egoísta quando me sirvo mais. Uma tudo ou nada, estúpida, covarde, interesseira, etc., etc.

Todo dia tenho de ouvir que sou uma criatura insuportável, e pode crer: embora ria ou finja não dar importância, nada daquilo me é indiferente.

Eu queria pedir a Deus uma outra natureza que não irritasse tanto os outros. Mas é impossível. E, de resto, se sou assim, sinto, no entanto, que não sou má. Faço muito mais esforços para agradar a todos do que eles imaginam. Rio só para não lhes mostrar a minha dor íntima. Mais de uma vez, quando discutia com a mamãe e ela era injusta comigo, eu dizia: "Tanto faz como tanto fez. Melhor é não se preocupar mais comigo. Sou um caso perdido".

Dizem que sou malcriada e me ignoram durante dois dias. De repente, tudo é perdoado e esquecido. Mas eu é que não posso ser um dia muito simpática e carinhosa com alguém para o odiar logo no dia seguinte. Prefiro não me aproximar dos extremos, guardar os meus pensamentos e tratar as pessoas com o mesmo desdém com que me tratam. Ai, se eu fosse capaz disso!

Sua Anne

SEXTA-FEIRA, 5 DE FEVEREIRO DE 1943

Querida Kitty:

Há muito tempo que não tenho falado com você das nossas encrencas, mas não pense que alguma coisa mudou. No começo, o sr. Dussel se incomodava muito com as várias discussões que ouvia. Depois, acostumou-se e, agora, já faz tentativas para servir de mediador.

A Margot e o Peter nem parecem jovens de verdade, são ambos monótonos e calmos. Como eu faço um grande contraste com eles, ouço continuamente:

– Olha a Margot e o Peter, eles eram incapazes de fazer tais coisas!

Que maçada! E, já agora, vou confessar uma coisa: não quero de maneira nenhuma ficar como a Margot. É muito transigente e insípida, se deixa influenciar por todo mundo, cede sempre. Ela não tem opinião própria! Mas essas teorias não confio a mais ninguém. Não quero que riam de mim.

À mesa, reina, muitas vezes, uma atmosfera pesada que só alivia quando um ou outro hóspede come em nossa casa. Falo das pessoas do escritório que vêm comer um prato de sopa conosco.

Hoje, no almoço, o sr. Van Daan verificou mais uma vez que a Margot não come o suficiente.

- Talvez por causa da linha - disse ele em tom irônico.

A mamãe, que tira sempre as castanhas do fogo para a Margot, disse muito alto:

– Estou cheia dessa conversa!

A sra. Van Daan ficou vermelha como uma pimenta, e ele ficou olhando para o chão, sem jeito.

Muitas vezes rimos uns com os outros. Há pouco, a sra. Van Daan contou coisas engraçadas dos vários flertes que teve e como se entendia bem com o pai dela.

– Se algum homem ousar ser atrevido com você, deve dizer-lhe: "Meu senhor, sou uma dama!". Ele desistirá logo! – aconselhava o pai dela.

Sua Anne

SÁBADO, 27 DE FEVEREIRO DE 1943

Querida Kitty:

Esperamos a invasão de um dia para outro. Churchill teve uma pneumonia, mas já está quase bom. Gandhi, o libertador da Índia, já fez, não sei quantas vezes, a greve de fome.

A sra. Van Daan disse ser fatalista. Mas sabe quem tem mais medo quando caem as bombas? Claro que é ela, a dona Petronella!

O Henk trouxe-nos a pastoral dos bispos que foi lida em todas as igrejas. É grandiosa e incita as pessoas: "Não vos caleis, holandeses! Cada um tem que lutar com as suas armas pela liberdade do povo, pela pátria e pela religião! Ajudai, não hesiteis!". Foi assim que falaram. Servirá para alguma coisa? Aos nossos correligionários, com certeza, não serve para nada.

Imagine o que aconteceu. O senhorio, sem avisar o sr. Koophuis ou o sr. Kraler, vendeu a casa. Uma manhã, apareceu o novo proprietário com um arquiteto. Queriam ver a casa. Graças a Deus o sr. Koophuis estava presente e mostrou tudo, menos o anexo. Disse-lhes que deixara as chaves da porta em casa. Os senhores não insistiram. Tomara que não voltem para ver o anexo. Seria a nossa desgraça.

O papai nos deu um fichário com fichas novas. Serve para mim e a Margot, para os livros que já lemos. Registramos não só pelo autor e título, mas também com as nossas observações. Para as palavras estrangeiras e os ditos, arranjei um caderno especial.

Ultimamente me dou melhor com a mamãe. Mas nunca seremos verdadeiras confidentes uma da outra. A Margot está mais impertinente do que nunca, e o papai está muito preocupado. Mas ele é e será o melhor de todos!

Novas rações de manteiga e de margarina. Cada um recebe a sua parte do dia num pratinho. Parece-me que a distribuição, quando está ao cargo dos Van Daans, não corre lá com grande honestidade, mas os meus pais estão fartos de brigas, por isso ficam quietos. É uma pena. A meu ver, deveríamos pagar-lhes na mesma moeda.

Sua Anne

QUARTA-FEIRA, 10 DE MARÇO DE 1943

Querida Kitty:

Ontem à noite houve um curto-circuito. E ainda por cima o barulho infernal dos canhões da defesa. Não sou capaz de me habituar às bombas e aos aviões. Tenho medo e quase sempre fujo para a cama dos meus pais. Vai achar que sou criança, mas só queria que assistisse! Não ouvimos as nossas próprias palavras, tanto é o barulho dos canhões.

Tenho muito medo! De dia a coisa não me aflige tanto. Gritei como se tivesse febre e supliquei ao papai que acendesse a vela. Mas ele não se comoveu e continuamos às escuras. Então, começou o ruído das metralhadoras, que acho pior ainda do que o dos canhões. A mamãe saltou fora da cama e, contra a vontade do papai, acendeu a vela. Ao seu protesto, respondeu resolutamente:

– Mas a Anne não é um velho soldado como você!

E acabou-se! Já contei dos ataques da sra. Van Daan? Tem que saber tudo o que se passa no anexo. Certo dia, ela ouviu passos pesados no sótão. Pensou que eram ladrões. Ficou tão cheia de medo que acordou o marido. No mesmo instante, o ruído parou. O sr. Van Daan só conseguiu ouvir bater o coração da fatalista.

– Ai, Putti! (é como ela chama o sr. Van Daan). Roubaram os chouriços e os feijões. E que terão feito ao Peter?

– Não roubaram o Peter, não se aflija! E me deixe dormir!

Como ela não conseguia adormecer, não o deixava. Algumas noites depois, a família Van Daan acordou com um barulho esquisito. O Peter subiu para o sótão com a sua lanterna e, quando a acendeu, viu fugir um bando de ratazanas. Agora sabíamos quem eram os ladrões e pusemos o Mouschi para dormir no sótão. Os hóspedes indesejáveis, pelo menos durante a noite, não voltaram mais. Mas, há poucos dias, o Peter teve de ir ao sótão (eram sete e meia e ainda dia) para buscar alguns jornais velhos. Uma ratazana mordeu-o no braço. Quando chegou aqui embaixo, tinha o pijama cheio de sangue, estava branco como cal e mal se aguentava nas pernas. Não admira, pois ser mordido por uma ratazana é horrível.

Sua Anne

“Antes, a casa tinha dois gatos: um para o armazém, outro para o sótão. Quando os dois se encontravam, havia sempre luta. Infalivelmente o do armazém é que começava, mas o do sótão é que vencia.

SEXTA-FEIRA, 12 DE MARÇO DE 1943

Querida Kitty:

Vou lhe apresentar uma pessoa. Mamãe Frank, defensora da juventude, da manteiga extra para os jovens. Luta pelos problemas dos jovens modernos. Luta pela Margot, por mim e pelo Peter e, depois de grandes discussões, consegue sempre o que pretende.

Um vidro de língua de conserva se estragou. Resultado: jantar de gala para o Mouschi e o Boche. É verdade, você ainda não conhece o Boche. Dizem que já estava no imóvel antes de nós chegarmos. Agora, é o gato do armazém e do escritório e afasta os ratos. Antes, a casa tinha dois gatos: um para o armazém, outro para o sótão. Quando os dois se encontravam, havia sempre luta. Infalivelmente o do armazém é que começava, mas o do sótão é que vencia. E, por isso, foram batizados: o do armazém era o alemão ou o Boche, o do sótão, o inglês ou o Tommy. O Tommy desapareceu e o Boche é a nossa distração quando vamos para baixo.

Comemos tantas vezes feijão branco que já não posso ver na minha frente e fico enjoada só de pensar nele. Não temos mais pão no jantar.

O papai acaba de dizer que está preocupado com vários assuntos. O coitado está com os olhos tristes!

Ando maluca com o livro "De klop op de Deur", de Ina Boudier-Bakker. É o romance de uma família com incríveis descrições. As passagens que tratam da guerra, dos problemas da mulher, dos escritores, não as acho tão boas. São assuntos que me interessam pouco.

Bombardeios sobre a Alemanha. O sr. Van Daan anda de mau humor por falta de cigarros.

O problema de começarmos ou não a comer os legumes em conserva resolveu-se a nosso favor. Nenhum sapato me serve mais, só as botas de esqui, e as botas são muito incômodas em casa. Uma sandália de palha entrançada durou só uma semana e se acabou. Pode ser que a Miep encontre qualquer coisa no mercado negro.

Agora tenho de cortar o cabelo do Pim. Disse ele que, mesmo depois da guerra, não voltará ao cabeleireiro, por eu o servir tão bem, embora eu corte tantas vezes a orelha dele!

Sua Anne

QUINTA-FEIRA, 18 DE MARÇO DE 1943

Querida Kitty:

A Turquia entrou na guerra... Estamos impacientes pelas notícias da rádio. É assim mesmo que a rádio transmite esse repugnante teatro de marionetes. Dá quase a ideia de que os soldados têm orgulho das suas feridas: quanto mais, melhor.

Um deles, a quem o Führer consentiu em apertar a mão – caso ainda tivesse alguma –, nem conseguiu falar.

Sua Anne

SEXTA-FEIRA, 19 DE MARÇO DE 1943

Querida Kitty:

À alegria seguiu-se uma decepção muito maior. Afinal, a Turquia ainda não entrou na guerra. O Ministro do Exterior só apelou no seu discurso para que cessasse a neutralidade. O vendedor de jornais tinha gritado: "A Turquia está do lado dos ingleses". Assim nasceu o boato e chegou até nós.

As notas de 500 e 1.000 florins vão deixar de ter valor. Os negociantes do mercado negro e os possuidores de dinheiro negro vão se ver em maus lençóis. O problema é também grave para as pessoas escondidas.

Quando se quer trocar uma nota de mil florins, somos obrigados a declarar e provar de onde ela vem. Até o fim da próxima semana, ainda essas notas podem ser utilizadas para pagamento dos impostos.

O Dussel recebeu a sua broca de mão e, em breve, vai examinar os meus dentes.

O "Führer" de todos os germânicos falou perante os seus soldados feridos e depois "conversou" com eles. Que tristeza ouvir aquilo! Um exemplo:

– Meu nome é Heinrich Scheppel!

– Onde ficou ferido?

– Diante de Stalingrado.

– Quais são os ferimentos?

– Perdi os dois pés por causa do frio e fraturei o pulso esquerdo!

Sua Anne

QUINTA-FEIRA, 25 DE MARÇO DE 1943

Querida Kitty:

A mamãe, o papai, a Margot e eu estávamos ontem muito bem-dispostos quando entrou o Peter e cochichou algo para o papai. Escutei: "Entornou-se um barril no armazém" e "alguém tentou abrir a porta".

A Margot também ouviu, mas fez o possível para me acalmar, pois eu estava branca como a cal quando o papai saiu do quarto com o Peter. Ficamos as três à espera, mas, dois minutos depois, apareceu a sra. Van Daan, que tinha estado no escritório particular ouvindo rádio.

O papai pediu que desligasse o rádio e que saísse sem fazer ruído. Mas, quando a gente quer ter muita cautela, é pior ainda. E ela disse que os degraus da velha escada tinham rangido medonhamente debaixo dos seus pés. Mais cinco minutos... O papai e o Peter voltaram, ambos pálidos até a raiz dos cabelos. Contaram-nos o que se passava: sentados, lá embaixo, puseram-se à escuta, mas, primeiro, não ouviram nada. Depois, de repente, ouviram duas pancadas fortes, como se alguém tivesse batido com as portas. De um pulo, o Pim correu escada acima, e Peter foi buscar o Dussel, que, antes de mais nada, arrumou as suas coisas. Então, subimos todos, em meias, para cima. O sr. Van Daan está constipado e, por isso, já tinha se deitado. Juntamo-nos todos em volta da sua cama e contamos, em voz baixa, as nossas suspeitas. Quando o sr. Van Daan tossia alto, a sra. Van Daan e eu quase desmaiávamos de susto, até que, enfim, alguém teve a ideia luminosa de lhe dar codeína. A tosse acalmou imediatamente.

Esperamos... Como não ouvimos mais nada, calculamos que os ladrões tinham fugido ao ouvir, de repente, passos numa casa tão calma.

Lembramos que o rádio ainda estava sintonizado na emissora inglesa e que as cadeiras estavam desarrumadas. Qualquer pessoa perceberia imediatamente que, pouco antes, tinha estado gente naquele quarto. No caso de os ladrões terem arrombado a porta e a defesa antiaérea percebesse, a polícia seria avisada e as consequências poderiam ser muito sérias.

O sr. Van Daan se levantou, vestiu o casaco, pôs o chapéu e desceu cautelosamente com o papai. O Peter ia atrás, levando um martelo para o que desse e viesse. As senhoras, a Margot e eu esperamos com grande ansiedade. Cinco minutos mais tarde, eles voltaram para nos dizer que estava tudo em ordem.

Combinamos não abrir as torneiras e não puxar a descarga do w.c. Mas, como o susto provocou o mesmo efeito em todos nós, é possível imaginar o cheiro num certo lugar...

Quando acontece uma coisa ruim, vem outra em seguida. Foi o que aconteceu. Primeiro: o sino da Westertoren já não toca. Achava-o tão bonito e tranquilizante! Segundo: sabíamos que o sr. Vossen tinha saído mais cedo na noite anterior, mas o que não sabíamos era se a Elli, depois, tinha levado as chaves ou se esquecera de fechar a porta. Estávamos todos um tanto inquietos, embora não se ouvisse o menor ruído desde as oito horas – e já eram onze. Depois de estarmos menos agitados, vimos que era inconcebível que algum ladrão tivesse arrombado a porta numa hora em que ainda tem tanta gente na rua. Tivemos a ideia de que um contramestre da casa vizinha estivesse trabalhando. Como as paredes são pouco espessas, é fácil confundir o som dos ruídos, especialmente quando se está aflito. E, assim, fomos nos deitar, mas ninguém conseguiu dormir bem.

O papai, a mamãe e o Dussel estiveram toda a noite sobressaltados e eu, sem exagero, não preguei o olho...

Hoje de manhã eles desceram para ver se a porta de entrada estava ainda fechada. Tudo parecia em ordem. Contamos os acontecimentos tão aflitivos, com todos os pormenores, aos nossos protetores, que troçaram de nós, mas, depois de tudo ter passado, é fácil rir! Só a Elli é que nos levou a sério.

Sua Anne

SÁBADO, 27 DE MARÇO DE 1943

Querida Kitty:

O curso de taquigrafia terminou. Estamos agora treinando a velocidade, para chegarmos ao máximo. Vou contar coisas do meu "trabalho de matar o tempo". Estou entusiasmadíssima com a mitologia e o que mais me interessa são as lendas dos deuses gregos e romanos. "São entusiasmos passageiros", dizem aqui, porque nunca ouviram dizer que uma adolescente tivesse se dedicado à mitologia. Mas eu posso bem ser a primeira!

O sr. Van Daan está resfriado. Está com a garganta arranhada, e ele faz disso um grande acontecimento: gargareja, toma chá de marcela, pincela a garganta com tintura de mirra, põe pomada no nariz, no pescoço, no céu da boca e na língua. E, além disso... tem mau humor.

Rauter, um dos alemães mais importantes nesta terra, fez um discurso: "Todos os judeus têm de desaparecer, até 1° de julho, dos países germânicos. A limpeza será feita (como se se tratasse de baratas!) na província de Utrecht, de 1° de abril até 1° de maio, na Holanda do Norte; e na do Sul, de 1° de maio até 1° de junho".

Feito um rebanho de pessoas doentes e inúteis, levam a pobre gente ao matadouro. Mas não quero falar mais nisso. Os meus próprios pensamentos me provocam pesadelos. Também há novidades boas: o Departamento de Trabalho da Alemanha foi sabotado, incendiado e, alguns dias mais tarde, aconteceu o mesmo à Repartição de Registro Civil. Homens metidos em uniformes da polícia alemã subjugaram os guardas e depois fizeram desaparecer arquivos importantes, de maneira que as convocações e as buscas tornam-se agora bem mais difíceis.

Sua Anne

QUINTA-FEIRA, 1º DE ABRIL DE 1943

Querida Kitty:

Não há disposição para graças (veja a data)! Aqui justifica-se o provérbio: "Uma desgraça não vem só". Primeiro: o nosso protetor, sr. Koophuis, que nos anima sempre, teve ontem uma forte hemorragia do estômago e precisa ficar três semanas de cama. Segundo: a Elli está com gripe. Terceiro: o sr. Vossen dará entrada no hospital. Parece que tem uma úlcera e vão operar.

Fizeram planos para uma reunião de negócios importante. O papai tinha tratado tudo com o sr. Koophuis. Agora não há tempo para dar instruções ao Kraler, e o papai treme só de pensar no resultado da reunião. Disse:

– Se eu pudesse estar presente! Se eu pudesse estar lá embaixo!

– Por que não se deita no chão? Com certeza pode ouvir tudo.

A cara do papai se iluminou. Às dez e meia, ele e a Margot tomaram as suas posições e escutaram. Duas pessoas ouvem mais do que uma. As negociações não acabaram na parte da manhã, mas, à tarde, o papai não teve coragem para se deitar novamente naquela posição. Estava como que moído. Quando, às três horas, ouviram-se as vozes lá embaixo, tomei eu o lugar do papai e a Margot se deitou ao meu lado. As conversas eram muito longas e aborrecidas e, de repente, adormeci naquele oleado tão duro e tão frio. A Margot não ousou me dar um empurrão, com medo de que lá embaixo notassem alguma coisa. Dormi uma boa meia hora e, quando acordei, já tinha esquecido as coisas mais importantes. Mas, felizmente, a Margot tinha prestado atenção.

Sua Anne

SEXTA-FEIRA, 2 DE ABRIL DE 1943

Querida Kitty:

Mais um pecado para a minha lista. Ontem estava esperando que o papai, como de costume, viesse para rezar comigo e para me dizer boa-noite. Mas veio a mamãe. Sentou-se na minha cama e perguntou, modesta e hesitante:

– Anne, o papai ainda não pode vir. Vamos rezar as duas.

– Não, mãe! – respondi.

A mamãe se levantou, ficou parada ao lado da minha cama. Depois, dirigiu-se devagarinho para a porta. De repente, virou-se e, desfigurada, disse:

– Não estou zangada, Anne. O amor não é coisa que se possa pedir a alguém.

Corriam-lhe as lágrimas pela cara abaixo. Fiquei muito quieta e senti que fui má por tê-la afastado tão brutalmente, mas não podia responder de outra maneira. Não sou capaz de fingir e de rezar com ela contra a minha vontade. Palavra que não sou capaz. Tenho pena da mamãe, muita pena até, pois compreendi, pela primeira vez, que a minha atitude não lhe é indiferente. Li a dor na sua cara quando me disse que o amor não era coisa que se pudesse pedir a alguém. É duro dizer a verdade. Mas a verdade é que ela me afastou com as suas observações pouco delicadas e as suas gracinhas sobre coisas que para mim são muito sérias. Assim como em mim tudo se constrange quando ela é dura, também agora se constrangeu o seu coração, quando compreendeu que entre nós se tinha extinguido o amor. Chorou durante toda a noite, quase não dormiu. O papai nem olha para mim e, quando o faz, vejo a acusação nos seus olhos: "Como foi capaz de ser tão má para sua mãe? Como pode fazê-la sofrer tanto?".

Esperam que eu peça desculpa. Mas eu não posso pedir desculpa, pois só disse o que é verdade, e, mais cedo ou mais tarde, a mamãe ficaria sabendo. Parece que já não me importo tanto com as lágrimas da mamãe e o olhar do papai. Pela primeira vez, os dois notaram o que eu sinto. Sim, posso ter pena da mamãe, mas só ela mesma deve procurar me reencontrar. Quanto a mim, continuarei calada e fria e nunca terei medo da verdade. É sempre melhor não adiar o que tem de se dizer.

Sua Anne

TERÇA-FEIRA, 27 DE ABRIL DE 1943

Querida Kitty:

Estamos todos zangados uns com os outros, os Van Daans, a mamãe, o papai, etc. Lindo ambiente, não? A lista completa dos pecados da Anne chegou a ser desencantada e discutida em toda a sua extensão.

O sr. Vossen está no hospital. O sr. Koophuis já anda a pé. Dessa vez, a hemorragia do estômago passou mais depressa do que de costume. Koophuis contou-nos que a Repartição de Registro Civil ficou muito destruída depois do incêncio porque os bombeiros inundaram o edifício todo e os danos são agora enormes. O Hotel Carlton foi destruído, com o "lar dos oficiais", e toda a esquina da Vijzelstraat-Singel ficou devastada pelo fogo.

Dois aviões ingleses, que transportavam grande carga de bombas incendiárias, caíram nesse lugar. Já não há sossego durante as noites.

Tenho grandes olheiras porque não consigo dormir. A comida está uma miséria: no café da manhã temos pão seco e cevada. No almoço, há mais de quinze dias: espinafres ou salada, e as batatas, de vinte centímetros de comprimento, são vermelhas e doces. Quem quiser emagrecer que venha viver conosco.

Os de cima gemem. Mas nós ainda não fazemos disso uma tragédia. Todos os homens que tinham sido mobilizados ou que combateram "na guerra de cinco dias" em 1940 foram convocados como prisioneiros de guerra e têm de trabalhar para o "Führer". Mais uma medida de precaução contra a invasão!

Sua Anne

SÁBADO, 1º DE MAIO DE 1943

Querida Kitty:

Se penso na nossa vida aqui, chego sempre à mesma conclusão: nós, em comparação com os judeus que não conseguiram se esconder, ainda estamos no paraíso. Mas, mais tarde, quando tudo estiver normalizado e eu puder pensar naquilo que vivi, ficarei admirada dos limites a que nós chegamos, especialmente nos nossos hábitos. Desde que aqui entramos, usamos a mesma toalha de oleado na mesa. Com um trapo, que é mais buracos do que trapo, tento dar-lhe um pouco de brilho, mas em vão. Os Van Daans não puderam lavar seu lençol de flanela durante todo o inverno, porque o sabão é raro e muito fraco. O papai anda com umas calças surradas e a gravata muito gasta. A cinta da mamãe se rasgou de velha, e a Margot usa um sutiã dois números menor. A mamãe e a Margot, durante o inverno, usaram, as duas juntas, três agasalhos, e meu casaquinho é muito curto. Pergunto a mim mesma: Será possível que nós, tão terrivelmente esfarrapados, com tudo tão gasto, das solas dos meus sapatos ao pincel de barbear do meu pai, vamos voltar algum dia à mesma vida de antes?

Hoje os aviões bombardearam terrivelmente a cidade, sobretudo durante a noite. Pensei em juntar o indispensável e preparar uma "mala de fuga", mas a mamãe disse:

– Para onde quer fugir?

Toda a Holanda está sendo castigada por haver sabotagens por toda parte. Foi declarado o estado de sítio e tiraram uma ração de manteiga de cada pessoa. É assim que se castigam as crianças malcomportadas!

Hoje, à tardinha, lavei a cabeça da mamãe. Não é fácil. Temos de nos virar com o sabão amarelo e pegajoso e, além disso, é difícil pentear o cabelão da mamãe com o pente da família, a que agora só tem dez dentes.

Sua Anne

TERÇA-FEIRA, 18 DE MAIO DE 1943

Querida Kitty:

Vimos um combate aéreo entre aviões alemães e ingleses. Infelizmente a tripulação de dois ingleses teve de abandonar os aparelhos saltando de paraquedas. O leiteiro, que mora no caminho para Harlen, viu quatro canadenses. Um, que falava perfeitamente holandês, pediu-lhe fogo para o cigarro. Contou que a tripulação era de seis homens, mas que o piloto, infelizmente, morrera no incêndio e o sexto companheiro tinha se escondido não se sabe onde. Depois veio a polícia verde e prendeu os quatro aviadores. Incríveis a calma e a presença de espírito desses homens depois de um salto assim!

Precisamos acender o fogão para queimar os restos de verduras e de outras porcarias. Temos de ter cautela por causa do empregado do armazém e não podemos colocar nada no balde do lixo. Qualquer pequeno desleixo pode nos denunciar.

> “Vimos um combate aéreo entre aviões alemães e ingleses. Infelizmente a tripulação de dois ingleses teve de abandonar os aparelhos saltando de paraquedas.

Todos os estudantes são obrigados a assinar uma declaração de lealdade como sinal de simpatia com os ocupantes. Depois podem continuar os estudos. Oitenta por cento, no entanto, não foram capazes de assinar contra a sua convicção. As consequências não demoraram. Todos que não assinaram são obrigados a trabalhos forçados na Alemanha. O que vai ser da juventude holandesa se as coisas continuarem assim?

Hoje à noite, a mamãe fechou a janela, porque o barulho dos bombardeios era insuportável. Eu dormia na cama do Pim. De repente, ouvimos a sra. Van Daan gritar. Pulou da cama como se uma tarântula a tivesse picado. Depois, ouviu-se uma forte explosão. Imaginei logo que uma bomba incendiária tinha caído junto da cama dela e gritei:

– Luz, luz!!!

Pim acendeu a luz e eu esperava que o quarto, dentro de poucos minutos, fosse devorado pelo fogo. Mas tudo ficou na mesma. Subimos escada acima para ver o que tinha acontecido. Os Van Daans tinham visto um clarão de fogo pela janela. Ele era de opinião que o incêndio devia ser perto, em qualquer parte. Ela, na sua imaginação, já estava vendo a nossa casa em fogo. Mas, como não se ouvia nem via mais nada, voltamos a nos deitar. Depois de quinze minutos, o barulho recomeçou. A sra. Van Daan fugiu do quarto, desceu a escada e refugiou-se junto do sr. Dussel. Pelo jeito, o marido não sabe protegê-las! O sr. Dussel recebeu-a com estas palavras:

– Deite-se ao meu lado, minha filhinha!

Desatamos todos a rir e assim salvamos a situação.

Sua Anne

DOMINGO, 13 DE JUNHO DE 1943

Querida Kitty:

O poema que o papai me escreveu no meu aniversário é tão lindo. Ele escreveu em alemão e a Margot traduziu assim:

Como é a mais nova de todos,
Ainda que já bem crescida,
Não é lá muito fácil a sua vida.
Todos pretendem lhe dar lições
Mas o que lhe dão são aflições:
Repare na nossa competência.
Passamos por tudo isso afinal,
E distinguimos o bem e o mal.
Assim lhe falam sem interrupção.
Seus defeitos nunca são graves
Dos outros são grandes entraves.
E a avisam, a fazem perceber...
Como se fosse para seu prazer.
E nós, os pais dessa filha querida,
Nem sempre lhe damos razão,
Porque a transigência na vida
Passa a ser uma forte condição.
Aproveitou bem os meses vividos.
Você estudou, leu e aprendeu.
Muito raramente se aborreceu.
Quanto à roupa, ouço perguntar:
Agora, o que é que eu vou usar?
Sabemos que quase nada lhe serve.
Os sapatos apertam e a enervam,
A saia, a camisa, tudo encolhido.
Uma tanga parece o seu vestido.

Dez centímetros que se lembre de crescer
Bastam para em coisa nenhuma se caber.

Tinha também versos sobre comida, que não vou transcrever, porque a Margot não conseguiu colocar rima.

Todos foram simpáticos, e me deram muitos presentes. Entre outras coisas, deram-me um calhamaço sobre o meu interesse pela mitologia da Grécia e de Roma. Não posso me queixar, pois sacrificaram alguma coisa das suas últimas reservas. Sou a caçula da "família escondida". Admito que recebo mais mimos do que mereço.

Sua Anne

TERÇA-FEIRA, 15 DE JUNHO DE 1943

Querida Kitty:

Aconteceram muitas coisas, mas receio que todas essas histórias comecem a aborrecê-la. Prometo ser breve.

O sr. Vossen não operou o estômago. Depois de terem feito o corte na barriga, os médicos viram que ele tem um câncer. Infelizmente tão adiantado que nada podiam fazer. Fecharam e o mandaram para casa depois de o alimentarem e o tratarem por três semanas. Tenho muita pena dele, lamento não poder sair daqui para visitá-lo e distraí-lo. Sempre era ele que nos vinha contar o que se passava no armazém. Era muito preocupado conosco, o bom Vossen. Faz uma falta enorme.

No próximo mês, seremos obrigados a entregar o nosso rádio. O sr. Koophuis tem um desses aparelhos portáteis que vai nos ceder para substituirmos o nosso grande Philips. Que pena termos de nos desfazer do lindo aparelho! Mas, numa casa onde há gente escondida, nada se deve arriscar. O rádio pequeno ficará aqui em cima. Para um rádio há sempre um lugar, mesmo em casa de judeus escondidos que compram tudo com dinheiro negro. Todo mundo está empenhado em arranjar um aparelho antigo para entregar às autoridades em vez daquele que tem em casa.

O rádio é para nós a única ligação com o mundo exterior. E a verdade é que, quando estamos deprimidos, é bom ter um rádio para nos dar coragem.

Sua Anne

DOMINGO, 11 DE JULHO DE 1943

Querida Kitty:

Volto a falar sobre educação. Tenho feito de tudo para ser prestativa, amável e simpática. Assim, a avalanche de críticas diminui. Mas custa muito me comportar bem com gente que não podemos ver à nossa frente. Às vezes, esqueço tantas injustiças. Depois de esconder a minha raiva durante semanas, falam da "mais malcriada garota do mundo!".

Não acha que sou digna de pena? Ainda bem que tenho senso crítico, senão, azedava e perdia totalmente a disposição.

Resolvi não me preocupar tanto com a taquigrafia. Preciso de mais tempo para os meus outros estudos. Ultimamente estou ficando míope, o que não é nada bom. Precisava de óculos (ficaria com cara de coruja), mas, como sabe, os escondidos não têm licença...

Ontem passamos todo o dia a falar de uma coisa só: a mamãe andava com a ideia de me mandar com a sra. Koophuis ao médico da vista. Ao ouvir aquilo, no primeiro momento fiquei tonta. Não é brincadeira nenhuma sair à rua. Imagine! A rua! Tive a sensação de morrer de medo, não é coisa simples. Depois fiquei toda contente. Mas a coisa não é assim tão fácil. Tem todas as dificuldades e perigos. Era preciso pensar bem e decidir as coisas importantes. A Miep queria me levar imediatamente, e fui logo ao armário pegar o meu casaco cinzento. Mas parecia que era de uma irmã mais nova. Estou ansiosa por saber se, de fato, vou ao médico. Acho que vão adiar.

Os ingleses desembarcaram na Sicília e o papai diz que a guerra não pode demorar muito. A Elli passa para mim e a Margot uma parte do seu trabalho do escritório. Gostamos muito de fazer. Qualquer pessoa sabe classificar a correspondência e anotar as vendas, mas nós somos especialmente cuidadosas.

A Miep é o nosso burro de carga, coitada! Quase todos os dias descobre alguma verdura e traz na sua sacola amarrada à bicicleta. Também é ela quem cuida, todos os sábados, da troca dos livros na biblioteca. Estamos sempre ansiosamente à espera do sábado, como criancinhas que esperam por um presente, mas não podem usá-lo.

Os livros significam muito para pessoas isoladas do mundo exterior. Ler, estudar e ouvir rádio... é esse o nosso mundo.

Sua Anne

SEXTA-FEIRA, 16 DE JULHO DE 1943

Querida Kitty:

Outra vez ladrões, mas dessa vez para valer! Na parte da manhã, o Peter foi, como sempre, ao armazém e verificou que as portas do armazém e da rua estavam abertas. Avisou logo o Pim, que, antes de mais nada, ligou o rádio na emissora alemã e fechou a porta. Depois, os dois vieram para cima. As ordens, num caso desses, são: não abrir as torneiras, não andar pela casa, estar vestido e arranjado às oito horas, não utilizar o w.c. Estávamos contentes por não termos dado por nada durante a noite, pois, pelo menos, dormimos bem. Só às onze e meia é que chegou o sr. Koophuis e contou que os ladrões conseguiram abrir a porta exterior com uma alavanca para, em seguida, arrombar a porta do armazém. Viram logo que no armazém não havia nada que valesse a pena roubar e, então, tentaram a sorte no andar de cima. Levaram a caixa do dinheiro com quarenta florins e os talões de cheques em branco, mas o pior é que lhes caíram nas mãos todos os cupons para 150 quilos de açúcar.

O sr. Koophuis supõe que se tratava dos mesmos ladrões que tentaram, há seis semanas, arrombar uma das portas. Daquela vez, não tinham conseguido nada. Ficamos todos muito aflitos. Parece que, aqui no anexo, não se pode passar sem acontecimentos sensacionais. Ainda bem que as máquinas de escrever e a caixa grande estavam aqui em cima onde, aliás, ficam as todas as noites.

“Não é brincadeira nenhuma sair à rua. Imagina! À rua! Tive a sensação de morrer de medo, não é coisa simples. Depois fiquei toda contente. Mas a coisa não é assim tão fácil.

Sua Anne

SEGUNDA-FEIRA, 19 DE JULHO DE 1943

Querida Kitty:

No domingo, o Porto de Amsterdã foi terrivelmente bombardeado. Dizem que as destruições são medonhas. Ruas inteiras estão transformadas em montões de entulho e ainda passarão muitos dias sem encontrar todos os cadáveres. Até agora, contaram duzentos mortos e inúmeros feridos. Os hospitais estão apinhados. Crianças vagueiam entre as ruínas à procura dos pais. Ainda estremeço ao me lembrar do estampido das explosões e do ruído surdo das derrocadas que nos prediziam toda essa destruição.

Sua Anne

SEXTA-FEIRA, 23 DE JULHO DE 1943

Querida Kitty:

Elli descobriu uma loja onde ainda vendem, sem talões, cadernos e livros de escritório para a Margot, que está aprendendo contabilidade. Mas não queira saber o aspecto dos cadernos: papel cinzento com linhas tortas e só com doze folhas. E caros!

Agora você vai achar engraçado. Vou contar o que cada um de nós deseja em primeiro lugar quando estiver em liberdade.

A Margot e o sr. Daan gostariam de tomar um banho quente numa banheira cheia e ficar lá dentro, pelo menos, uma meia hora. A sra. Van Daan quer ir direto para uma confeitaria e comer torta. O Dussel não pode pensar em outra coisa senão na sua mulher e na Lottinha. A mamãe tem saudades de uma xícara de café. O papai quer visitar, antes de mais nada, o sr. Vossen. O Peter pensa em ir logo ao centro da cidade e ao cinema. E eu? Acho que, de tanta felicidade, nem seria capaz de saber o que fazer primeiro.

Parece que o meu maior desejo é voltar para nossa casa, onde posso estar à vontade, onde faço o que tiver vontade. Queria também ser orientada nos estudos, isto é, queria ir para a escola!

A Elli tem possibilidades de arranjar frutas no mercado "negro". Mas os preços não são brincadeira nenhuma: uvas, cinco florins; groselhas, setenta centavos; um pêssego, cinquenta centavos; um quilo de melão, um florim. Isso tudo, mesmo com os jornais publicando todos os dias: "Qualquer subida de preços é considerada como especulação".

Sua Anne

SEGUNDA-FEIRA, 26 DE JULHO DE 1943

Querida Kitty:

O dia de ontem foi bem tumultuado e ainda estamos agitados. Você se perguntará se não é possível passar aqui um único dia sem aflições.

Estávamos sentados à mesa e tomando o café da manhã quando as sirenes deram o primeiro alarme. Isso não nos incomoda tanto, porque quer dizer apenas que os aviões inimigos estão se aproximando da costa. Depois do café, deitei-me de novo na cama. Tinha terríveis dores de cabeça. Eram duas horas quando vim para baixo. Às duas e meia, a Margot terminou os trabalhos para o escritório. Ainda não tinha arrumado as coisas quando se ouviu de novo o toque de alarme, mas dessa vez mais forte. Subimos num instante a escada e cinco minutos mais tarde o barulho tornou-se medonho. Resolvemos nos refugiar no nosso cantinho no corredor. A casa tremia.

Ouvimos nitidamente o cair das bombas. Apertei a minha malinha debaixo do braço, mais para sentir algum amparo do que para fugir. Depois de uma boa meia hora, os aviões foram rareando e começamos a sair dos esconderijos.

O Peter desceu do seu posto de observação no sótão, o sr. Dussel estava no grande escritório, a sra. Van Daan achara que só no escritório particular estaria em segurança e o sr. Van Daan observara o espetáculo lá do alto do sótão. Só nós tínhamos ficado no cantinho de abrigo. Em seguida, subimos todos para o andar de cima, de onde víamos nitidamente as nuvens de fumaça sobre o Porto de Amsterdã.

Logo chegou até nós o cheiro de queimado: era o incêndio. Tive a impressão de que um nevoeiro espesso envolvia a cidade. Um incêndio assim não é um espetáculo agradável. Cada um de nós voltou aos seus afazeres, contente por ter escapado. Na hora do jantar, outra vez alarme. Estávamos comendo umas coisas boas, mas eu perdi o apetite logo que ouvi o terrível uivar das sirenes.

Tudo, porém, ficou calmo e, quarenta e cinco minutos depois, deram sinal de fim do alarme. Mas mal tínhamos lavado a louça, tudo recomeçou: alarme, estampidos horríveis, muitos, muitos aviões por cima de nós. Pensamos: "Céus!... Isso agora já passa dos limites!".

Mas ninguém queria saber o que nós pensávamos. Choveram bombas sobre bombas, dessa vez do outro lado (no Schiphol). Foram os ingleses que deram a notícia. Os aviões mergulhavam, subiam. O ar parecia vibrar. Tive receio de que algum caísse por cima de mim.

Já não aguentava mais em pé quando, às nove horas, fui para a cama. À meia-noite em ponto: aviões! O Dussel estava se despindo. Na primeira explosão, saltei da cama. Duas horas de voos constantes. Por isso, fiquei na cama do papai. Só depois, quando já não se ouvia mais nada, voltei para o meu quarto. Às duas e meia, adormeci.

Sete horas. Acordei num sobressalto. O sr. Van Daan estava no quarto do papai. Escutei: "Tudo pronto, ladrões". Pensei e imaginei logo que nos tinham roubado tudo. Mas não! Seguiu-se um relatório como não tínhamos ouvido há meses, talvez mesmo durante toda esta guerra: Mussolini caiu, o rei da Itália tomou conta do governo. Ficamos radiantes. Depois do susto de ontem, enfim alguma coisa de bom e... um pouco de esperança! Esperança do fim. Esperança da paz!

Chegou o Kraler e contou que a Fokker (a fábrica de armamento antiaéreo) estava muito destruída. Em meio a tudo isso, tivemos outro alarme, de noite.

Vieram muitos aviões e depois outra vez alarme. Parece que sufoco com tantos alarmes aéreos. Não durmo o suficiente e não consigo estudar como deveria. Mas, agora, a ansiedade e a esperança de que esteja chegando o fim de tudo isso fazem com que não desanimemos. Tomara que tudo acabe ainda este ano.

Sua Anne

QUINTA-FEIRA, 29 DE JULHO DE 1943

Querida Kitty:

A sra. Van Daan, o Dussel e eu estávamos lavando a louça e, o que acontece raras vezes e que eles devem ter estranhado, eu estava excepcionalmente silenciosa. Para evitar perguntas, procurei um tema neutro e, por fim, comecei a falar sobre o livro *Henri van den O Cerkant*. Mas me enganei.

Se não é a sra. Van Daan que me diz das suas, é o Dussel. Ele tinha nos recomendado o livro como uma coisa extraordinária. Mas nem a Margot nem eu achamos nada de especial. A figura do rapaz está bem descrita, mas o resto... É melhor não falar nisso. Enfim, eu disse o que pensava do livro. Tive que ouvi-lo:

– O que é que você sabe, afinal, da psicologia de um homem? Se o livro tratasse de uma criança, vá lá. É nova demais para compreender um livro desse. Nem um jovem de vinte anos entende bem. (Só queria saber por que é que ele tanto nos recomendou o livro).

E então desataram ambos a me atacar:

– Sabe coisas demais, coisas que ainda não lhe dizem respeito. Teve uma educação errada. Mais tarde, não se contentará com nada. Vai dizer: "Aquilo? Já li há uns anos num livro". Ainda vai querer arrumar um marido e se apaixonar. Como? Só vai encontrar defeitos em todo mundo. Sabe muita coisa em teoria, mas, na prática, tudo é diferente.

Parece que eles pensam que é boa educação me incitarem contra os meus pais. Gostam disso. Acham também que é um método excelente não falar com uma garota da minha idade sobre "assuntos de adultos".

Ora, os resultados de uma educação assim são sempre desastrosos!

Fervi de raiva. Ah, se pudesse começar a contar os dias que faltam para me ver livre deles! A sra. Van Daan, que encanto! É a que deve me servir de exemplo. Sim, de exemplo... daquilo que não se deve ser!

Todos sabem: ela é impertinente, egoísta, espertalhona, interesseira e nunca está satisfeita. Eu poderia escrever livros sobre essa senhora, e quem sabe não o farei um dia. O seu "verniz" estala com facilidade. Ela se faz de simpática e amável, principalmente com homens. A mamãe a acha estúpida demais e fala que não vale a pena perder tempo com ela. A Margot a considera insignificante. O Pim diz que ela é feia física e moralmente. E eu percebi, depois de a ter observado, que tem tantas qualidades ruins que nem sei qual delas fica em primeiro lugar.

Sua Anne

P. S., Peço à querida leitora que não se esqueça de que esta carta foi escrita antes de a raiva da autora esfriar!

TERÇA-FEIRA, 3 DE AGOSTO DE 1943

Querida Kitty:

Politicamente, tudo vai às mil maravilhas. Na Itália, proibiram o partido fascista. Em várias regiões, o povo se bate contra os fascistas. Até os soldados tomam parte. Como querem que um povo assim ainda se ponha a lutar contra a Inglaterra! Pela terceira vez, a cidade foi violentamente bombardeada. Cerrei os dentes e disse a mim mesma: "Coragem!".

A sra. Van Daan, que até agora sempre dizia: "É melhor acabarem os sustos de uma vez do que ficar à espera indefinidamente", é agora a mais covarde de todos. Hoje de manhã, tremia como vara verde e depois desatou a chorar. O marido, com quem depois de uma semana de vida de cão e gato, acabou por fazer as pazes, acalmou-a carinhosamente. A gente ia ficando quase sentimental perante aquela linda cena.

A propósito de gatos. Afinal não são apenas úteis. O Mouschi deu-nos a prova disso. Andamos todos com pulgas, e a praga torna-se a cada dia mais insuportável. O sr. Koophuis espalhou, por toda parte, um pó amarelo que parece não ter efeito algum sobre as pulgas. Já andamos todos nervosos. Não conseguimos nos abstrair disso. Sentimos os bichinhos pelos braços, pelas pernas e por toda parte do corpo. A gente tem os movimentos mais cômicos deste mundo, procurando caçá-los. Mas todo movimento nos causa embaraço. Falta-nos o jeito, porque fazemos pouca ginástica e já não temos o corpo flexível.

Sua Anne

QUARTA-FEIRA, 4 DE AGOSTO DE 1943

Querida Kitty:

Depois de passarmos mais de um ano fechados no anexo, você já está bem informada sobre a nossa vida. Há coisas que dificilmente dá para escrever. Tudo é tão complicado e diferente da vida em liberdade! Mas, para que você possa ter uma ideia melhor, vou contar de vez em quando aquilo que acontece regularmente todos os dias. Hoje vou começar pelo fim do dia.

Às nove horas, começamos a fazer os preparativos para nos deitarmos. Puxamos as cadeiras, buscamos as roupas das camas, estendemos os cobertores. Realmente, nada fica onde esteve durante o dia. Eu durmo no pequeno sofá, que tem mais ou menos metro e meio, e preciso de cadeiras para prolongá-lo. Durante o dia, o meu edredom, os cobertores, o travesseiro e os lençóis são guardados na cama do Dussel.

No quarto ao lado, ouve-se chiar e ranger: a cama da Margot é armada. E, de novo, surgem cobertores e almofadões, sabe-se lá de onde.

Eu poderia jurar que são trovões se não soubesse que é a cama da sra. Van Daan que está sendo arrastada para a janela. "Sua Majestade", de "liseuse" cor-de-rosa, tem de respirar, através do seu belo narizinho, o ar fresco junto da janela.

Mais ou menos às nove horas, eu entro no "quarto de banho" para me lavar minuciosamente, e, então, uma pulguinha perde, não raras vezes, a sua vida. Depois escovo os dentes, ponho os rolinhos no cabelo, arranjo as unhas e trato de outros pequenos segredos da toalete... e tudo isso numa escassa meia hora.

Às nove e meia, visto o roupão de banho, saio rapidamente, levando o sabão, os alfinetes, os rolinhos, o algodão, a roupa sobre o braço, etc. Mas, muitas vezes, sou obrigado a voltar, por ter enfeitado o lavatório com um ou outro dos meus lindos cabelos pretos, o que, pelo visto, não agrada ao meu sucessor.

Dez horas: apagam as luzes. Boa noite. Durante quinze minutos ainda se ouve o ranger das camas e os suspiros das molas escangalhadas. Depois, tudo é silêncio, pelo menos quando lá em cima não há discussão conjugal.

Às onze e meia, abrem a porta do "quarto de banho". Um magro raio de luz, um arrastar de sapatos. Com um roupão largo demais para aquela figura, entra o Dussel, que tinha estado a trabalhar no escritório do Kraler. Durante dez minutos, anda furtivamente, mexe com papéis, esconde as guloseimas, arruma a cama, desaparece de novo e, de tempos em tempos, ouvimos ruídos suspeitos no w.c.

Às três horas, tenho de me levantar para fazer uma coisa que ninguém pode fazer por mim. Debaixo da lata, que serve para isso, há um bocado de tapete de borracha para todas as eventualidades, pois a lata pode começar a verter. Retenho, todas as vezes, a respiração para apreciar o ruído. Parece o barulho de um riozinho. Depois, a figurinha de camisola branca (que faz a Margot exclamar noite após noite: "Ah, que camisola indecente!") volta para debaixo dos cobertores.

Durante quinze minutos ainda ouço os ruídos noturnos. Primeiro... Não será algum ladrão lá embaixo? Depois, concentro a minha atenção nos ruídos

dos vizinhos de cima, do lado e do que está junto de mim. Pelos ruídos podemos fazer um resumo de temperamentos. Alguns estão dormindo pesadamente, outros estão meio acordados, o que não é coisa agradável, quando se trata do sr. Dussel. Primeiro, ele dá a impressão de um peixe que procura apanhar ar com a boca, e isso se repete umas dez vezes. Depois, umedece os lábios e dá estalinhos com a língua. Ao mesmo tempo, volta-se para um lado, volta-se para o outro e puxa pelo travesseiro até encontrar uma posição cômoda. Com pequenos intervalos, todas essas manobras se repetem pelo menos três vezes e, finalmente, o bom doutor adormece.

Às vezes, há bombardeios. Mal começam, estou logo meio acordada, com os pés no chão. Há também noites em que sonho com verbos irregulares ou com uma discussão conjugal lá em cima. Quando isso acontece eu tenho a sorte de não acordar e de não me dar conta das bombas. Mas, das outras vezes, saio da cama num pulo, pego o travesseiro e o lenço, enfio o roupão e os chinelos e corro para a cama do papai. A Margot descreveu a cena num poema de aniversário:

Quando de noite um avião mal se adivinha,
Certo e sabido que uma certa mocinha
Vai procurar o papai para lhe implorar
Que lhe ceda na cama um pouco de lugar!

Recolhida na cama do papai, o pior susto para mim já passou, caso o barulho não se torne mesmo dramático. Seis e quarenta e cinco: Triiimm... É o despertador lá em cima.

Ping, pang... É a sra. Van Daan que o desliga. O marido se levanta. A gente ouve quando ele põe a água para ferver e vai para o quarto de banho. Uma meia hora depois, é a vez do Dussel. Finalmente, estou só. Abro os cortinados escuros. Um novo dia começa no anexo!

Sua Anne

“Às vezes há bombardeios. Mal começam, estou logo meio acordada, com os pés no chão.

QUINTA-FEIRA, 5 DE AGOSTO DE 1943

Querida Kitty:

Hoje vou falar da hora do almoço. Meio-dia e meia. Todo o nosso ninho respira de alívio. Os criados do armazém saíram. Lá em cima, ouve-se o aspirador com que a sra. Van Daan trata carinhosamente o seu querido e único tapete. A Margot mete os livros debaixo do braço e vai encontrar seu aluno Dussel, que é um pouco tapadinho para aprender holandês. O Pim se retira para um cantinho onde possa apreciar o seu querido Dickens. A mamãe sobe para o andar de cima e dá uma ajuda à "perfeita dona de casa", enquanto eu me meto no quarto de banho, faço uma pequena arrumação das coisas e dou uma arranjadela à minha pessoa.

Meio dia e quarenta e cinco. Um após o outro, aparecem o sr. Van Santen, o sr. Koophuis ou o Kraler, a Elli e, quase sempre, também a Miep.

Uma hora. Todos ouvem as notícias da BBC. São esses os únicos momentos em que os habitantes do anexo não se interrompem uns aos outros, pois o que estão falando não pode ser contrariado, nem sequer pelo sr. Van Daan.

Uma e quinze. Uma refeição simples: uma xícara de sopa para cada visitante. Se tem sobremesa, é também dividida com eles. Contente, o sr. Van Santen recosta-se no canto do sofá, desdobra o jornal, o gato ao seu lado, a xícara em frente. É a jovialidade em pessoa.

O sr. Koophuis conta novidades da cidade. É uma fonte inesgotável. O Kraler sobe a escada aos pulinhos, bate um tanto rápido e seco à porta, entra esfregando as mãos e, conforme sua disposição, mostra-se animado e alegre ou deprimido e calado.

Uma e quarenta e cinco. Os hóspedes se despedem e voltam ao trabalho. A mamãe e a Margot lavam a louça, o sr. e a sra. Van Daan vão dormir, o Peter desaparece no seu quarto, o papai se deita um pouco, o Dussel faz o mesmo, eu leio ou escrevo. Essa é a hora mais simpática. Quando as pessoas dormem, não nos estorvam.

O Dussel sonha com boa comidinha. Leio no seu rosto. Mas não gasto tempo a estudar o Dussel, porque o tempo passa tão depressa! Um minuto depois das quatro, ele já está ao meu lado resmungando por eu ainda não ter saído da mesa.

Sua Anne

SEGUNDA-FEIRA, 9 DE AGOSTO DE 1943

Querida Kitty:

Vou continuar com o boletim.

O nosso jantar: o sr. Van Daan é o primeiro a servir-se e serve-se abundantemente de tudo... isto é, se houver coisas de que gosta. Fala sempre, mete-se em tudo, impõe as suas opiniões e, depois, não há ninguém que possa modificá-las. Ai daquele que se atreva a contrariá-lo. Bufa como um gato... E, se alguém se atreve uma vez, não fica com vontade de repetir. Só ele é que tem opiniões certas, só ele é que sabe tudo! É inteligente, isso não se pode negar, mas a sua presunção é qualquer coisa de descomunal.

A ilustre senhora: o melhor seria eu nem falar dela. Às vezes, principalmente quando ela está de mau humor, nem quero olhar para ela. Analisando bem as coisas, é quase sempre ela quem provoca as discussões, mesmo que não sejam sobre a sua pessoa. Pelo amor de Deus, isso não! Todos evitam se zangar com ela. Mas o que eu queria dizer é que a sra. Van Daan provoca as discussões. Essa arte ela conhece muito bem! Provocar a sra. Frank e a Anne! Com o papai e com a Margot, a coisa já é mais difícil, porque eles não dão motivo.

À mesa, a sra. Van Daan não fica nunca em desvantagem, embora imagine que sim. As melhores batatas, os pedaços mais macios... Pegar sempre o melhor, essa é a sua meta! Os outros que se virem! O essencial é que ela tenha conseguido aquilo que queria! E nunca mais se cala!

Tanto faz se as pessoas estão ouvindo ou não. Está convencida de que as suas palavras douradas são uma alegria para todos. Sempre a sorrir com charme, pretende saber todas as coisas, dá, maternalmente, conselhos e pensa que causa a melhor das impressões. Mas, examinando-a bem, descobre-se logo que pouco se salva.

O terceiro companheiro de mesa, o jovem sr. Van Daan, não chama a atenção sobre si. O seu estômago deve ser uma espécie de tonel das Danaides, pois, mesmo quando a comida é forte e depois de ter consumido uma porção fantástica, ele afirma, com a cara mais séria deste mundo, que teria sido capaz de comer o dobro.

O quarto é a Margot. Fala pouco e come como um passarinho. As únicas coisas que lhe escorregam bem pela garganta abaixo são verduras e frutas. "Mimada", é a sentença dos Van Daans. Mas a nossa opinião é outra: "Falta de ar e de movimento".

Ao lado dela, a mãe. Come bem, fala muito e com gosto. Ninguém a tomaria por dona de casa como à sra. Van Daan. E por quê? Porque a ilustre senhora é que cozinha e a mamãe só limpa e lava a louça.

De papai e de mim, não vou dizer muita coisa. O Pim é o mais modesto de todos à mesa. Olha primeiro à sua volta a ver se os outros estão bem servidos. Não necessita de nada em especial e tudo o que é bom vai para as filhas. É o exemplo da bondade e da grandeza de alma... E, ao seu lado, fica sentado o feixe de nervos do anexo!

O sr. Dussel: serve-se, mas não olha para ninguém. Come e não fala. Mas, caso seja absolutamente indispensável falar, ele escolhe o tema "comida", por ser um tema que não provoca conflitos. Quando muito, dará lugar a algumas fanfarronices. Consegue engolir porções gigantescas, nunca diz que não, tanto faz que a comida seja boa ou má. Puxa as calças demasiado para cima, usa um colete vermelho e chinelos pretos e, sobre o nariz, pousam uns óculos de armação escura. É assim que se apresenta na mesa de trabalho, às refeições, durante a sesta e quando vai ao seu lugar favorito uma, duas, três, quatro ou cinco vezes por dia. Se algum de nós está em frente à porta do w.c. saltando de impaciência, quase sem poder esperar mais, pensa que isso o comove? Nem um pouco! Essas sessões regulares acontecem das sete e quinze às sete e meia, da meia dia e meia à uma, das duas às duas e quinze, das quatro às quatro e quinze, das seis às seis e quinze e das onze e meia à meia-noite. Disso ele não desiste, e nem a voz mais suplicante, a profetizar um acidente, o comove.

A próxima não é um membro da família do anexo, mas companheira de casa e de mesa, a Elli. Tem bom apetite, não é esquisita e nunca deixa ficar restos no prato. Fica contente com a coisa mais insignificante e nos dá também prazer com isso. Está sempre alegre e de bom humor, é prestativa e simpática, enfim, só tem qualidades.

Sua Anne

TERÇA-FEIRA, 10 DE AGOSTO DE 1943

Querida Kitty:

Uma ideia nova! Converso à mesa mais comigo mesma do que com os outros, o que tem duas vantagens: provavelmente todos ficam contentes quando falo pouco e, além disso, não preciso me aborrecer com as opiniões dos outros. Como acho as opiniões dos outros quase sempre tolas e só as minhas certas, o melhor é não dizer nada. Da mesma maneira procedo quando há uma comida de que não gosto. Imagino que aquilo é muito bom, finjo que penso assim mesmo, e, antes que consiga refletir, já engoli tudo. Pela manhã, quando me levanto, salto da cama e digo para mim mesma: "Vá, já, já, se deitar outra vez". Tiro os cortinados escuros da camuflagem e respiro um pouco de ar fresco pelas fendas até ficar bem acordada. Depois, quando tiro as roupas da cama, já não sinto a tentação de me deitar.

Sabe como a mamãe chama isso? "A arte de viver". Uma expressão engraçada, não acha?

Há uma semana que não sabemos as horas exatas, porque levaram o nosso tão querido e fiel sino da torre Oeste. Supomos que querem transformá-lo num canhão. Quase nunca sabemos que horas são. Espero que descubram alguma coisa que nos indique o tempo e substitua também o lindo som. É preciso que o quarteirão não sinta tanto a falta do seu sino.

Todos olham sempre com admiração para os meus pés. É que os meus pés ostentam sapatos novos. A Miep conseguiu comprar de segunda mão por vinte e sete florins e meio. São de camurça cor de vinho e têm um salto largo e bem alto. É como se fossem umas pernas de pau, e pareço ainda mais alta do que sou.

Ontem tive pouca sorte. Furei o polegar direito com uma agulha grossa. Não pude descascar as batatas, e a Margot teve de fazer isso por mim. Depois, dei com a testa contra a porta do armário. Tão forte foi a pancada que quase caí no chão. E, como aquilo não se passou sem estrondo, levei uma bronca ainda por cima. Não pude refrescar a testa, porque estávamos proibidos de abrir as torneiras. Agora ando com um galo enorme sobre o olho direito. E, para piorar, entalei o dedo pequeno do pé direito no aspirador. Mas as minhas outras dores eram já tão grandes que nem liguei para essa nova. Fui tola, porque a ferida infectou, tenho de andar com o pé enfaixado e não posso calçar os meus lindos sapatos.

O Dussel nos colocou em perigo de vida. Pediu à Miep – que nada sabia dessas coisas – para lhe trazer um livro que está proibido, um panfleto contra Hitler e Mussolini. Esta manhã, uma moto das SS esbarrou contra a bicicleta dela. Ela perdeu a cabeça e gritou-lhes: "Patifes!". Mas, felizmente, se pôs a andar. O melhor é a gente não imaginar o que teria acontecido se a tivessem levado ao posto da polícia.

Sua Anne

QUARTA-FEIRA, 18 DE AGOSTO DE 1943

Querida Kitty:

Hoje vou descrever o nosso dever cotidiano de descascar as batatas. Um de nós vai buscar os jornais (para as cascas), outro, as facas (e, evidentemente, fica para si com a melhor), outro traz as batatas e o último, um panelão com água.

O sr. Dussel começa, descasca muito mal, mas, sem interrupção, olha, de vez em quando, para a direita e para a esquerda, porque quer verificar se os outros trabalham tão bem como ele. Chega à conclusão de que isso não acontece.

– Anne, não vê? Eu pego na faca, assim, e descasco de cima para baixo. Não, assim não! Olha, assim é que deve ser!

– Acho o meu modo mais cômodo!

– Olha que como eu faço é melhor, podes acreditar.

– Mas, afinal, o que me importa? Faça como quiser.

Continuamos a descascar. Olho de esguelha para o meu vizinho da esquerda. Está balançando a cabeça, por minha causa, suponho. Mas não me diz nada. Continuo a descascar.

Depois, olho para o papai, que está na minha frente. Para ele, descascar batatas não é uma brincadeira, mas, sim um trabalho de precisão. Quando o papai está lendo, tem uma ruga profunda na testa, mas quando descasca batatas ou quando ajuda a preparar a verdura, então dá a impressão de ser impermeável a tudo o que acontece à sua volta. Nessas ocasiões, põe a sua cara "para batatas", e nunca entregará uma só que não esteja descascada impecavelmente. Também, com uma cara assim seria impossível não se fazer coisa perfeita.

Levanto os olhos de vez em quando e sei logo de tudo. A sra. Van Daan não tira os olhos do Dussel e tenta atrair a atenção dele. Ela pisca-lhe os olhos, ele finge não notar. Depois, ela pensa: "Bem, isso não está mal". E ele continua a descascar. Ela ri, mas também não deixa de descascar. A sra. Van Daan diz ao seu marido:

– Por que não põe o avental?

– Não estou me sujando.

E ela continua a cismar.

– Por que não se senta?

– Estou muito bem assim, gosto de estar em pé.

Novo silêncio.

– Putti, vê, agora espirrou a água.

– Está bem, mammi, vou ter mais cautela.

E ela a inventar outro tema.

– Oh, Putti, por que é que os ingleses pararam de bombardear?

– Por causa do mau tempo, suponho.

– Mas ontem o tempo estava bom e eles não vieram.

– E se falássemos de outras coisas?

– Por que não falar sobre isso?

– Porque não.

– Mas por quê?

– Cala a boca, mammi!

– O Frank nunca deixa de responder à mulher quando ela quer saber alguma coisa. O sr. Van Daan não responde. Depois de uns minutos de silêncio, ela retoma a conversa:

– A invasão nunca vai acontecer.

O marido fica vermelho de raiva. Ela percebe e fica corada. Então, a bomba explode:

– Cala a boca! Caramba, caramba.

Eu não olho para ninguém. Minha mamãe mal pode esconder o riso.

Cenas como essa ou semelhantes repetem-se quase todos os dias, a não ser que o casal esteja amuado, o que é de grande vantagem, porque, ao menos, não dizem nada.

Tenho de ir ao sótão buscar mais batatas. Vejo o Peter catando pulgas no gato. Quando me aproximo, ele ergue os olhos. O gato, ao perceber que não está preso, dá um pulo e foge pela janela. O Peter roga pragas, eu rio e desapareço.

Sua Anne

SEXTA-FEIRA, 20 DE AGOSTO DE 1943

Querida Kitty:

Às cinco e meia em ponto, os operários saem do armazém e a nossa liberdade recomeça. Quando a Elli sobe, sabemos que já não há perigo e começamos a nos mexer à vontade. Quase sempre vou com ela para cima, para um lanche. Mal a Elli se senta, logo a sra. Van Daan começa a enumerar os seus desejos:

– Ai, Elli, eu gostaria tanto de...

A Elli pisca para mim. É raro alguém do escritório aparecer lá em cima sem que a sra. Van Daan deixe de ter algum desejo. É essa a razão por que ninguém gosta de subir até o andar dos Van Daans.

Cinco e quarenta e cinco. A Elli nos deixa, e eu desço para a cozinha, entro no escritório particular, abro a porta do alçapão para o Mouschi, que quer ir para lá caçar ratos. Por fim, vou ao escritório do sr. Kraler, onde o sr. Van Daan está examinando as pastas e as gavetas para ver a correspondência do dia. O Peter vai buscar a chave do armazém e também o Bochi. O Pim leva a máquina de escrever para cima. A Margot procura um lugar calmo para se entregar aos trabalhos do escritório. A sra. Van Daan põe um panelão de água para ferver. A mamãe está descendo com uma panela de batatas. Cada um cumpre a sua obrigação.

O Peter volta do sótão. A sua primeira pergunta é se não esqueceram de pôr o nosso pão no escritório do Kraler. Esqueceram! Ele não tem outro remédio senão ir procurá-lo no escritório grande. Engatinha como os bebês para que ninguém de fora o veja. Abre o armário, tira o pão e desaparece, isto é, quer desaparecer, mas, durante aquele passeio, o Mouschi saltou por cima dele e, depois, escondeu-se debaixo da escrivaninha. O Peter procura em todos os cantinhos. Por fim, descobre o gato. Sempre engatinhando, ele procura apanhar o bicho pelo rabo. O gato bufa, o Peter suspira. Mouschi senta-se à janela e lambe o pelo. Como última tentativa, o Peter estende-lhe um pedaço de pão. E, agora, a coisa dá resultado. Mouschi deixa-se "levar", vai atrás dele, e a porta se fecha.

Eu via todo o espetáculo através de uma fenda. Depois, voltei aos meus estudos. Tac, tac, tac! Bater três vezes é sinal de que o jantar está pronto!

Sua Anne

SEGUNDA-FEIRA, 23 DE AGOSTO DE 1943

Querida Kitty:

Continuação do boletim: o relógio dá nove horas da manhã. A mamãe e a Margot estão nervosas.

– Psiu, papai! Fique quieto, Otto... Pim! São nove horas, fecha a torneira!

– Não pise no chão dessa maneira!

É assim que avisam o papai, que ainda está no quarto de banho. Às oito e meia, ele tem de estar no quarto. E nem mais uma gota de água! Não utilizar o

> "O papai pega no seu querido Dickens e se senta na borda da cama, que range sempre e que tem colchões que já nem o nome de colchões merecem.

w. c. não andar de um lado para o outro, silêncio absoluto. Se ainda não houver gente no escritório, os ruídos ecoam ainda mais fortes no armazém.

Lá em cima, os Van Daans abrem a porta e batem três vezes no chão:

– A papinha para a Anne está pronta!

Subo num instante para ir buscar a minha tigelinha de cachorro. Depois ando numa roda viva: pentear, despejar o "vaso", pôr a roupa da cama no lugar. E silêncio, o relógio está marcando oito e meia! A sra. Van Daan ainda se arrasta de chinelos pelo quarto, e o marido também. Depois não se ouve mais nada.

Se estivesse aqui, podia agora presenciar uma linda cena familiar. Eu começo a ler ou a escrever. Também a Margot e os meus pais gostam de aproveitar esta meia hora de calma para a leitura. O papai pega no seu querido Dickens e se senta na borda da cama, que range sempre e que tem colchões que já nem o nome de colchões merecem. Recusa as almofadas que lhe oferecemos:

– Não preciso. Assim estou muito bem.

Uma vez embalado na leitura, já não se interessa por mais nada. Às vezes ri, procura ler baixinho uma passagem para a mamãe. Mas ela diz:

– Agora não, por favor. Não tenho tempo.

Ele fica um bocadinho desapontado. Mas logo que descobre outra passagem engraçada, tenta novamente:

– Mãezinha, tem que ouvir isto!

A mamãe está na cama de armar, lê, costura, faz tricô e estuda muito. De repente, ocorre-lhe uma ideia e ela não pode guardá-la:

– Anne, sabe... Margot, toma nota.

Uns minutos de silêncio. Depois a Margot fecha ruidosamente o seu livro. O papai cerra as sobrancelhas num arco muito engraçado, mas, logo a seguir, aparece a ruga de leitura, sinal de que ele está mergulhado no livro. A mãe, então, começa a conversar baixinho com a Margot. Curiosa, escuto. Por fim, o Pim também escuta... Nove horas. Café da manhã!

Sua Anne

SEXTA-FEIRA, 10 DE SETEMBRO DE 1943

Querida Kitty:

Quase sempre que escrevo, alguma coisa aconteceu e, de um modo geral, alguma coisa ruim. Mas desta vez posso contar um acontecimento bom. Na quarta-feira (8 de setembro), estávamos todos, às sete horas da noite, a ouvir rádio.

– *Here follows the best news of the whole war. Italy has capitulated!*

A Itália capitulou incondicionalmente. Às oito, começou a emissora de Orange, com o programa holandês transmitido de Londres. Recebemos a maravilhosa notícia da capitulação incondicional da Itália! Joguei no cesto de papéis os jornais com as notícias ultrapassadas.

Tocaram "God Save the King", "Star Spangled Banner" e também a "Internacional". O programa holandês, como de costume, animador, mas não demasiadamente otimista.

Estamos preocupados por causa do sr. Koophuis. Como sabe, gostamos todos muito dele. Apesar de adoentado, com dores, e embora não possa comer grande coisa e tenha de ter muita cautela consigo, continua sempre animado, amável e admiravelmente corajoso.

– Quando o sr. Koophuis entra, nasce o sol! – costuma dizer minha mãe, e tem muita razão. Agora tem de ser operado dos intestinos e não pode aparecer durante quatro semanas. Tinha que ver quando se despediu. Não parecia alguém que vai ser operado, parecia sair para fazer compras.

Sua Anne

QUINTA-FEIRA, 16 DE SETEMBRO DE 1943

Querida Kitty:

À medida que o tempo vai passando, pior estão as pessoas umas com as outras. Quase ninguém ousa abrir a boca à mesa (a não ser para pôr a comida), pois tudo o que se diz é levado a mal. Eu, por mim, engulo todos os dias "Valeriana-Dispert" por causa das depressões, mas isso não me impede de me sentir ainda mais maldisposta no dia seguinte. Ai, se pudesse rir, só uma vez, rir de todo o coração, seria melhor remédio do que dez dessas pastilhas brancas. Mas já nem sabemos o que é rir assim. Às vezes, tenho receio de ficar muito feia depois de sair daqui e vejo-me com uma boca franzida e rugas de preocupações. Os outros não se sentem melhor do que eu: todos aguardam o inverno com medo.

Mais uma coisa pouco animadora: um dos homens do armazém, um certo M., ficou desconfiado a respeito do anexo. Isso podia não ter grande importância se ele não fosse tão curioso e se se deixasse convencer facilmente. Também não sabemos a que ponto é de confiança.

Um dia, o sr. Kraler quis ser mais cauteloso: às dez para uma, ele pegou no chapéu e na bengala, saiu e entrou na drogaria da esquina. Cinco minutos depois, voltou e subiu, com mil cautelas, como um ladrão, a escada do anexo. À uma e quinze, quis ir-se embora, mas encontrou a Elli, que o impediu, porque o tal M. estava no escritório. Kraler voltou para cima e ficou até a uma e meia. Depois descalçou os sapatos, pegou neles na mão e, em meias, caminhou até a porta do sótão, pisou cautelosamente os degraus e depois voltou da rua para o escritório. A Elli, que conseguira, entretanto, despachar o M. do escritório, veio avisar o Kraler. Mas este já estava fazendo as suas acrobacias na escada. O que terão pensado as pessoas na rua que o viram calçar as botas?

Sua Anne

QUARTA-FEIRA, 29 DE SETEMBRO DE 1943

Querida Kitty:

A sra. Van Daan faz anos. Demos de presente um bônus para queijo, carne e pão e um vidro de compota. O marido, o Dussel e os nossos queridos protetores também lhe ofereceram, além de flores, coisas de comer. Sinal dos tempos!

Esta semana a Elli teve uma crise de nervos. Precisa andar sempre de um lado para o outro para ir buscar isso ou aquilo, muitas vezes a mandam trocar as coisas por ela ter se enganado. E se a gente se lembra de que ela tem muito que fazer no escritório, que o Koophuis está doente e a Miep na cama por causa de um resfriado, que ela própria torceu um pé, que tem aflições por causa do namorado de quem o papai não gosta, não é difícil imaginar que já não aguenta mais.

Nós a consolamos e pedimos para dizer quando não tiver tempo para nós. Assim, ao menos, a lista das compras diminui.

Deve ter havido confusão com os Van Daans. O papai anda furioso, mas não sei por quê. Quem me dera estar longe daqui, quem me dera poder fugir! Aquela gente acaba conosco!

Sua Anne

DOMINGO, 17 DE OUTUBRO DE 1943

Querida Kitty:

Graças a Deus! Ele ainda está pálido, mas Koophuis voltou e já trabalha. Está tentando vender roupas dos Van Daans. É uma coisa chata, porque acabou o dinheiro dele. A senhora tem muitas coisas, mas não quer desfazer-se delas e um terno do marido é difícil de vender, pois não querem dar o que ele pede. Provavelmente é o casaco de peles da senhora que vai ser sacrificado! Por causa disso, houve grande discussão lá em cima, depois seguiu-se um período pacífico e agora só se ouve: "Oh, meu querido Putti!".

Eu já estou meio tonta de tantas discussões e das palavras feias que ouvimos na nossa casa. O papai anda de lábios cerrados e, se a gente lhe dirige a palavra, assusta-se como se estivesse com medo de algum acontecimento desagradável em que tivesse de intervir. A mamãe, de tanta aflição, tem manchas vermelhas na cara, a Margot queixa-se de dores de cabeça, o Dussel não pode dormir, a sra. Van Daan lamenta-se todo dia e eu estou completamente desconcertada. Para dizer a verdade, há ocasiões em que me esqueço quem são os que andam zangados uns com os outros e quem são os que já fizeram as pazes. A única distração é estudo, e eu estudo muito!

Sua Anne

SEXTA-FEIRA, 29 DE OUTUBRO DE 1943

Querida Kitty:

Houve "tempestade" lá em cima. Como eu já contei, eles não têm dinheiro. Um dia o Koophuis falou para eles de um negociante de peles de quem é amigo. O sr. Van Daan então, resolveu vender o casaco da mulher. É de pele de coelho e tem dezessete anos de uso. Receberam trezentos e setenta e cinco florins por ele. É bem pago. A sra. Van Daan quis guardar o dinheiro para comprar coisas novas mais tarde. O marido, com muito custo, sempre conseguiu convencê-la de que o dinheiro é necessário para o sustento. Você não pode imaginar como ela ralhou, gritou, vociferou e bateu com os pés no chão... E nós, cheios de pavor. Estávamos os quatro com a respiração suspensa, ao pé da escada, prontos para separar aqueles dois furiosos. Cenas assim são tão aflitivas que me fazem chorar à noite, quando estou na cama, grata, no entanto, por ter uns momentos de solidão.

O sr. Koophuis tem de ficar novamente em casa. O estômago não o deixa em paz e ainda não se sabe se a hemorragia acalmou por completo. Foi ao contar-nos que se sentia mal e que ia para casa, e, pela primeira vez, o vimos deprimido. Eu, por mim, não estou doente, só não tenho apetite. Mas estão sempre a me dizer:

– Está com mau aspecto.

Confesso que a minha família se esforça muito para que eu tenha saúde e robustez. Dão-me, alternadamente, glicose, levedura, cálcio e óleo de fígado de bacalhau para me fazer aguentar. Mas nem sempre consigo dominar os meus nervos. É aos domingos que os sinto mais, pois nesses dias reina uma má disposição geral, uma espécie de sonolência pesada como chumbo. Não se ouvem ruídos lá fora e qualquer coisa parece estar para acontecer. É como se pesos grandes me puxassem. Uma voz grita na escuridão, insondável.

Ando por toda a casa, de um quarto para o outro, escada acima, escada abaixo. Sinto-me como um pássaro a quem cortaram as asas e bate contra as grades da gaiola estreita. Em mim, soa como que um grito: "Para fora!".

Tenho saudades. Quero sair. Sair daqui, para o ar livre, quero poder rir à vontade! Não há resposta! Mas sei que esses gritos não têm poder, e deito-me na cama para matar estas horas tão terrivelmente silenciosas e cheias de angústia.

Sua Anne

QUARTA-FEIRA, 3 DE NOVEMBRO DE 1943

Querida Kitty:

O papai, cuja constante preocupação é a de nos entreter e, ao mesmo tempo, de nos instruir, mandou vir o prospecto de um instituto de cursos por correspondência. A Margot já folheou o calhamaço por três vezes, mas ainda não encontrou o que queria. Julgava ela que tinha de pagar o curso com o seu dinheiro da semana e, por isso, achava tudo demasiado caro. Mas o papai mandou vir uma lição para experimentarmos: latim para principiantes. A Margot se dedicou ao estudo e mandou depois vir o curso completo. Embora eu gostasse de aprender latim, acho-o ainda difícil demais. Mas, para que eu também possa aprender alguma coisa nova, o papai pediu ao sr. Koophuis que procurasse uma Bíblia juvenil. Quer que eu conheça o Novo Testamento.

– Quer dar à Anne uma Bíblia para a festa de Chanukah? – perguntou Margot admirada.

– Sim... enfim... acho que o São Nicolau será a melhor ocasião para isso. Jesus não liga muito para a festa de Chanukah! – foi a resposta do papai.

O aspirador quebrou. Agora tenho de limpar o tapete, todas as noites, com uma escova velha. E isso dentro de um quarto com as janelas fechadas, com a luz elétrica acesa, onde está um calor sufocante.

"Isto não acaba bem", pensei comigo. A mamãe começou a ter dores de cabeça por causa do pó que se fixava no quarto. O pó não desaparecia e o papai achava que toda a sala tinha um aspecto sujo.

Agora há menos discussões, só o Dussel é que anda zangado com os Van Daans. Quando nos fala da sra. Van Daan, ele diz "a vaca estúpida" ou "a velha cabra", e ela, em contrapartida, chama-o de "o solteirão xexé"! Um burro a chamar de burro outro burro!

Sua Anne

SEGUNDA-FEIRA, 8 DE NOVEMBRO DE 1943

Querida Kitty:

Se você se desse ao trabalho de ler todas as minhas cartas, uma depois da outra, veria que as escrevi com as mais diversas disposições. É aborrecido ser tão dependente da disposição do momento aqui no anexo. Mas isso não acontece só comigo, é o mesmo com todos os outros.

Depois de ter lido um livro e ainda estar debaixo de uma impressão muito forte, tenho que procurar me colocar em ordem antes que apareça alguém, senão são capazes de me acharem maluquinha. Certamente já percebeu que me encontro de novo num período de abatimento e de falta de coragem. E nem posso explicar por que, pois não há nenhuma razão especial. Acho que é uma covardia que nem sempre consigo vencer.

Hoje, à tardinha, quando a Elli estava aqui, tocaram a campainha longamente e com força. Fiquei logo pálida, tive dores de barriga, palpitações e muito medo. De noite, deitada na cama, tenho visões terríveis. Vejo-me na prisão, sozinha, sem meu pai e minha mãe. Às vezes, estou vagando por qualquer lugar, não sei onde, ou vejo o anexo pegando fogo, ou eles vêm, de noite, para nos buscar. Sinto tudo isso como se fosse real, e a ideia de que vai me acontecer alguma catástrofe não me larga. A Miep diz, às vezes, que tem inveja de nós por termos aqui calma e sossego. Em princípio, ela pode ter razão, mas não se lembra de que vivemos sempre com medo. Não consigo mais imaginar que o mundo possa voltar a ser para nós como era antes. Digo muitas vezes: "depois da guerra". Mas digo como se se tratasse de um castelo no ar e não de um tempo que se tornará, algum dia, realidade. Quando penso na nossa vida em casa, na escola, com todas as suas alegrias e sofrimentos, em tudo o que era "antigamente", tenho a sensação de não ter sido eu quem viveu essas coisas, mas sim uma estranha, alguém totalmente diferente.

Vejo a gente numa pequena nuvem, clara e azul, no meio de outras nuvens pesadas e escuras. O nosso lugar ainda é seguro, mas as nuvens estão ficando cada vez mais densas e o círculo que nos separa do perigo tão próximo vai se fechando. Por fim, ficamos todos de tal maneira envolvidos na escuridão que, com o desejo desesperado de encontrar uma saída, esbarramos uns contra os outros. Olhamos para baixo onde os homens lutam, olhamos para cima onde há felicidade e paz. Mas estamos isolados por uma massa grossa e impenetrável que nos barra todos os caminhos e nos encerra como um muro invencível, um muro que nos destruirá quando a hora soar. E eu só posso clamar e suplicar:

– Oh, círculo, círculo, se alarga e se abre para nós!

Sua Anne

QUINTA-FEIRA, 11 DE NOVEMBRO DE 1943

Ode à minha caneta-tinteiro – In memoriam

A minha caneta foi para mim, sempre, uma coisa preciosa. Adorava-a por ter um bico grosso e redondo, porque só escrevo bem com bicos assim. Ela viveu uma vida de caneta bem longa e interessante, que vou aqui descrever.

Quando fiz nove anos, chegou, enrolada em algodão, como "amostra sem valor". Foi a vovó que, naquela época ainda vivia em Aachen, me enviou um presente tão generoso. Estava deitada na cama, com gripe, e lá fora uivava o vento de fevereiro. A gloriosa caneta vinha num estojo de couro vermelho. Mostrei-a, logo que pude, a todas as amigas e conhecidos. Eu, Anne Frank, possuidora orgulhosa de uma caneta-tinteiro!

Quando fiz dez anos, recebi licença de a levar para a escola, e a professora deixou-me escrever com ela.

No ano seguinte, o meu tesouro teve de ficar em casa porque a diretora de ciclo, no liceu, só permitia canetas comuns.

Quando aos doze anos entrei no Liceu judaico, deram-me um estojo novo com duas divisões. Uma era para a lapiseira. Esse estojo tinha um fecho-*éclair* e era muito vistoso.

Quando fiz treze, a caneta veio comigo para o anexo e foi a minha companheira fiel quando eu escrevia para você ou quando estudava. Agora que tenho catorze, chegou ao fim da sua existência. Na sexta-feira, saí do meu quarto para escrever junto dos outros, na mesa da sala. Mas afastaram-me sem piedade, pois a Margot e o papai estavam estudando latim. A caneta ficou em cima da mesa. A Anne teve de contentar-se com um cantinho onde a fizeram "dar lustro" aos feijões, quer dizer, limpar feijão vermelho que tinha bolor.

Às quinze para as seis, varri o chão e coloquei o lixo com os restos dos feijões no fogão. Ergueu-se uma chama colossal e eu fiquei satisfeita porque o fogo estava quase apagado. "Os latinos" acabaram de estudar e eu recebi licença para voltar à mesa e continuar o meu estudo. Mas a caneta não estava lá. Procurei-a por todos os lados, a Margot me ajudou. Depois também me ajudaram a mamãe, o papai e o Dussel, mas a minha amiga fiel tinha desaparecido sem deixar vestígios.

– Vai ver que colocou no fogo com os feijões estragados! – disse a Margot.

– Não posso acreditar, – disse eu.

Mas quando a hora do jantar chegou sem a caneta ter aparecido, já não tínhamos dúvidas: queimou! O celuloide queima tão bem! A triste suposição confirmou-se quando, na manhã seguinte, o papai encontrou o "clip" na cinza. Do bico de ouro, não restava nada.

– Provavelmente se derreteu com o lixo. – disse o papai.

Só me resta um consolo: a minha caneta foi cremada, exatamente como eu queria que um dia me fizessem!

Sua Anne

QUARTA-FEIRA, 17 DE NOVEMBRO DE 1943

Querida Kitty:

Grandes mudanças. Na casa da Elli tem difteria e ela não pode vir aqui durante seis semanas por causa do contágio! Agora tudo se tornou complicado aqui em casa em relação à comida e outras compras, sem falar no nosso desgosto pessoal. O sr. Koophuis ainda está de cama e há três semanas que está só a leite e mingau. O Kraler está ocupado! A Margot tinha enviado ao professor os seus exercícios de latim que vieram devolvidos com as devidas correções. O professor parece ser um homem amável e também espirituoso e, com certeza, está todo contente por ter uma aluna tão boa. A correspondência é em nome da Elli.

O Dussel anda melancólico. Ninguém sabe por quê. Ele não fala com o sr. Van Daan nem com a senhora. Todos nós reparamos nisso. Passados uns dias, a mamãe falou a sós com ele: disse que não era bom arrumar encrencas. Ele respondeu que o sr. Van Daan tinha começado a ignorá-lo e a deixar de lhe falar e não seria ele, Dussel, quem haveria de romper o silêncio. Mas ontem, 16 de novembro, fazia um ano que o Dussel entrou aqui no anexo. Por esse motivo, ofereceu flores à minha mãe. A sra. Van Daan já tinha, ultimamente, dado a entender que, em tais ocasiões, as pessoas costumam oferecer alguma coisa. E, agora, ele ignorou-a completamente. Em vez de agradecer o altruísmo com que foi recebido, calou-se. Quando eu lhe perguntei, na parte da manhã, se lhe devia dar os parabéns ou antes os pêsames, respondeu-me que tanto fazia. A mamãe, que queria fazer o papel de anjo da paz, não conseguiu nada e, assim, tudo ficou na mesma. O homem é grande de espírito, mas mesquinho nas ações.

Sua Anne

SÁBADO, 27 DE NOVEMBRO DE 1943

Querida Kitty:

Ontem à noite, antes de adormecer, tive uma visão nítida: a minha amiga Lies estava diante de mim, coberta de trapos e com o rosto escaveirado. Com os seus grandes olhos, contemplou-me, triste e acusadora, como se quisesse dizer: "Anne, por que é que me abandonou? Me ajude! Me salve deste inferno".

Mas eu não posso ajudá-la. Os outros têm de sofrer e de morrer e eu não passo de uma espectadora. Só posso pedir a Deus que não os deixe morrer e que me devolva os meus amigos. Sim, foi justamente a Lies que eu vi e sei por quê. Sempre a julguei mal, eu era ainda muito infantil e não podia compreender as suas preocupações. Ela gostava da sua nova amiga e tinha receio que eu a roubasse. Ai, como deve ter sofrido! Agora eu sei, pois já conheço melhor tais ressentimentos!

Às vezes, pensava nela um pouco. Depois mergulhava com egoísmo nos meus divertimentos e preocupações. Não procedi bem e foi por isso que ela olhou para mim assim, de rosto pálido e de olhos suplicantes, tão tristes. Oh!... Se pudesse ajudar!

Oh! Meu Deus, tenho aqui tudo o que necessito e ela foi arrastada para o destino mais duro que há! Tem sido pelo menos tão crente como eu, e só desejava o bem. Por que é que fui eleita para viver e ela para morrer? Qual é a diferença entre nós? Por que é que estamos tão longe uma da outra?

Para ser franca, tinha-me esquecido dela havia quase um ano. Não esquecido por completo, isso não, mas não pensava nela de uma certa maneira, assim como a vi agora na sua miséria.

Oh, Lies, quem me dera que a pudesse acolher, que você sobrevivesse a esta guerra, porque queria remediar um pouco o mal que lhe causei.

Mas quando eu estiver em condições de ajudá-la, já ela não precisará. Será possível que ainda se lembre de mim? E que sentirá ela?

Meu Deus, ajude-a, não a deixe ficar tão só. Faça-a saber do meu amor e da minha compaixão por ela. Pode ser que assim lhe dê força para resistir. Não posso pensar mais nisso. Não consigo desprender-me da visão. Sempre e sempre vejo os grandes olhos dela fixos em mim.

Não sei se a Lies traz em si uma fé muito forte ou se a obrigaram a tê-la. Não sei, nunca lhe perguntei. Oh, Lies, Lies, se pudesse ir buscá-la, se pudesse dividir com você o que tenho aqui! É tarde demais! Não posso remediar o mal que as pessoas fazem. Nunca me esquecerei da Lies e vou rezar por ela.

Sua Anne

SEGUNDA-FEIRA, 6 DE DEZEMBRO DE 1943

Querida Kitty:

Com a chegada do dia de São Nicolau, nos lembramos da linda cesta enfeitada do ano passado, e eu, especialmente, achei que seria chato não fazer nada este ano. Pensei muito no assunto até inventar uma coisa, e uma coisa engraçada.

Consultei Pim, e há uma semana começamos a compor uma pequena poesia para cada pessoa.

No domingo à noite, quando faltavam quinze para as oito, aparecemos lá em cima carregando uma enorme cesta usada toda enfeitada de figurinhas e laços de papel rosa e azul. A cesta estava coberta por uma enorme folha de papel pardo, no qual estava pregada uma carta. Todos ficaram espantados com o tamanho da surpresa que ali vinha embrulhada. Li a carta:

São Nicolau está aqui novamente
Porém, desta vez não temos festa,
Como fizemos no ano passado,
Quando a esperança era grande,
Os otimistas pareciam ter razão.
Não imaginaríamos que este ano
O receberíamos ainda escondidos.
Mas vamos nos alegrar em seu dia
E, como não temos nada a ofertar,
Olhem dentro dos seus sapatos!

Ao tirar cada um seu sapato da cesta, foi uma gargalhada geral. Dentro de cada sapato tinha um pequeno embrulho endereçado ao dono.

QUARTA-FEIRA, 22 DE DEZEMBRO DE 1943

Querida Kitty:

Uma gripe forte me impediu de escrever mais cedo. É quase uma catástrofe estar doente aqui. Quando me vinha a vontade de tossir, entrava depressa debaixo dos cobertores e tentava acalmar a gar-

“No Natal vamos receber uma ração suplementar: azeite, doces e geleia. Ganhei um broche feito de moeda polida, muito bonito e brilhante.

ganta, mas o resultado era que sempre a comichão aumentava e só abrandava com leite e mel ou com pastilhas. Só de lembrar-me dos tratamentos que tive de suportar, fico quase tonta. Suores, compressas no pescoço, faixas úmidas e secas no peito, bebidas quentes, estar deitada sem me mexer, gargarejar, pincelar, almofada elétrica, botijas e, de duas em duas horas, ver a temperatura. E queriam que eu, assim, ficasse bem!

O pior de tudo era que o Dussel se fazia de médico, encostando a cabeça com brilhantina no meu peito para verificar se havia ruídos lá dentro. Não só os seus cabelos me faziam muitas cócegas, como também tinha vergonha dele, apesar de ele ter tirado, há trinta anos, o curso de medicina e possuir o diploma de doutor. Mas o que tem ele que procurar no meu coração? Eu não o amo. O que se passa no meu coração não é ele que pode descobrir. Acho é que ele devia, antes de mais nada, fazer uma limpeza nos ouvidos, pois estou certa de que ouve muito mal!

Não vamos falar mais na minha doença! Estou bem agora. Cresci um centímetro e aumentei um quilo. Ainda estou pálida, mas cheia de atividade e contente por poder voltar a estudar.

Não aconteceram coisas novas. Ao contrário do costume, todos se entendem bem aqui em casa. Não tem havido brigas. Havia, pelo menos, seis meses que não conhecíamos um ambiente tão pacífico. A Elli ainda não pode vir aqui.

No Natal vamos receber uma ração suplementar: azeite, doces e geleia. Ganhei um broche feito de moeda polida, muito bonito e brilhante. O Dussel pediu à Miep que fizesse uma torta para a minha mamãe e para a sra. Van Daan, e ela já tem tanto que fazer! Tenho também um presente para a Miep e a Elli. Há dois meses que venho guardando o açúcar que devia colocar no mingau.

Agora o sr. Koophuis vai levá-lo para mandar preparar doces.

O tempo ruim, fogão solta fumaça e a comida pesa-nos no estômago, o que é aliás comprovado por certos ruídos pouco estéticos.

A guerra não ata nem desata... Disposição abaixo de zero!

Sua Anne

SEXTA-FEIRA, 24 DE DEZEMBRO DE 1943

Querida Kitty:

Eu já contei muitas vezes que o ambiente aqui depende da nossa disposição. E eu, a esse respeito, estou cada vez pior. Podemos aplicar a frase: "Alegria celeste, tristeza mortal". Sinto uma "alegria celeste" quando me lembro como estou bem aqui em comparação a outros judeus. "Tristeza mortal"... invade-me, sim, quando ouço contar que a vida lá fora continua. Hoje esteve aqui a sra. Koophuis e contou que a sua filha corre, pratica esportes, passeia numa canoa com amigos e atua num teatro de amadores.

Não sou invejosa, mas quando escuto falar tais coisas, tenho vontade de tomar parte delas, pelo menos uma vez. Queria me divertir como todos os outros, não ter preocupações, ser feliz, rir! Justamente nesta época tão bonita, em que há as férias do Natal e do Ano Novo, estamos aqui como párias.

Sei que não devia escrever tais coisas, por parecer que sou ingrata e exagerada. Mas mesmo que pense mal de mim... não posso guardar tudo isso e cito mais uma vez aquela frase que já escrevi: "O papel é paciente!".

Quando chega alguém de fora, ainda com o frescor do cheiro de vento nas roupas e com a cara vermelha do frio, dá vontade de enterrar a cabeça nos cobertores para não pensar sempre no mesmo: "Quando é que poderemos ir lá para fora e respirar o ar e a liberdade?!". Mas não posso me esconder. Ao contrário, tenho de me mostrar direitinho e corajosa. Porém, os pensamentos não se deixam dominar, vêm e tornam a vir. Quando se está fechada há ano e meio, chegam momentos em que se julga não suportar mais. Ainda que eu seja injusta e ingrata, não sou capaz de negar o que sinto! Queria dançar, assobiar, andar de bicicleta, ver o mundo, gozar a minha juventude, ser livre. Digo isso para você, mas não posso dizer a mais ninguém, porque se todas as oito pessoas aqui no anexo se lamentassem e mostrassem caras infelizes, onde iríamos parar?

Basta! Já aliviei o coração da minha "tristeza mortal", e sinto-me melhor.

Sua Anne

SÁBADO, 25 DE DEZEMBRO DE 1943

Querida Kitty:

Hoje, primeiro dia de Natal, tenho de pensar constantemente no Pim e naquilo que ele me contou, o ano passado, do seu primeiro grande amor. Naquela ocasião não penetrei tão bem como hoje o significado das suas palavras. Oh, se ele me falasse outra vez naquilo, mostraria que agora o compreendo.

Acho que o Pim, que tantos segredos conhece dos outros, precisou desabafar, pelo menos uma vez, pois não costuma falar de si e suponho que nem a Margot suspeita do que ele sofreu. Pobre Pim, a mim não engana. Eu sei que ainda não se esqueceu! Nunca poderá esquecer. É uma pessoa equilibrada. Tomara que eu seja parecida com ele, mas sem precisar passar pelo que ele passou.

Sua Anne

> “Quando chega alguém de fora, ainda com o frescor do cheiro de vento nas roupas e com a cara vermelha do frio, dá vontade de enterrar a cabeça nos cobertores para não pensar sempre no mesmo: "Quando é que poderemos ir lá para fora e respirar o ar e a liberdade?!".

SEGUNDA-FEIRA, 27 DE DEZEMBRO DE 1943

Querida Kitty:

Pela primeira vez tive um presente de Natal. As meninas, o Koophuis e o Kraler me fizeram uma surpresa daquelas. A Miep fez um bolo decorado, escrito "Paz 1944". Arranjou meio quilo de bolachas de qualidade igual à de antes da guerra. Além disso, o Peter, a Margot e eu recebemos um frasco de iogurte, e os adultos, uma garrafa de cerveja. Tudo estava embrulhado com graça e todos os pacotinhos traziam um versinho escrito.

Os dias de Natal passaram tão depressa!

Sua Anne

QUARTA-FEIRA, 29 DE DEZEMBRO DE 1943

Querida Kitty:

Ontem à noite, estive muito triste. Tive a visão da vovó e da Lies! A vovó, querida! Não compreendemos bem quanto ela sofria. Só pensava em nós, mostrando-se sempre muito compreensiva em face dos nossos problemas. Sofria de uma grave doença.

Será que ela nunca falou nisso para não nos afligir? Era sempre amável e boa e ninguém a procurava sem ouvir um conselho ou uma consolação, ou sem receber uma ajuda. Mesmo quando eu estava insuportável, a vovó encontrava sempre para mim uma desculpa. Será que ela gostava muito de mim ou também não me compreendia? Oh! Não sei.

Como a vovó deve ter se sentido só, tão só, embora estivéssemos todos juntos a ela. Sim, porque uma pessoa pode sentir-se só, mesmo no meio de muita gente amiga, se souber que não ocupa um lugar muito especial no coração de alguém.

E a Lies? Será que está viva? O que estará fazendo? Meu Deus, não a deixe morrer, faça com que ela volte para junto de nós. Pensando em você, Lies, compreendo qual podia ter sido o meu destino e ponho-me muitas vezes no seu lugar! Mas, então, porque é que me afligem tanto as condições em que vivo aqui no anexo? Não devia eu sentir-me alegre e satisfeita, exceto quando penso na Lies e nos outros que sofrem como ela?

Sou egoísta e covarde! Não sei porque é que os meus sonhos e pensamentos só giram em torno de coisas tristes, até me dá vontade de gritar. Decerto não tenho bastante confiança em Deus! Afinal, Ele me deu tanta coisa, e eu não mereço, pois só faço asneiras.

"Quando pensamos no próximo, devíamos chorar". A dizer a verdade, não devíamos fazer mais nada do que chorar. Resta-nos pedir a Deus que faça um milagre e que salve aquela pobre gente!

E eu rezo do fundo do meu coração.

Sua Anne

DOMINGO, 2 DE JANEIRO DE 1944

Querida Kitty:

Hoje de manhã, ao folhear o meu diário, encontrei várias cartas em que falo da mamãe num tom impulsivo, quase irado. Assustei-me e perguntei a mim própria: "É você a Anne que fala assim com tanto ódio?".

Com o livro aberto na mão, fiquei algum tempo sentada tentando descobrir a razão desse ódio, dessa ira. Fiz o possível para compreender a Anne daqueles dias e para a desculpar, pois a minha consciência não acalma enquanto eu não conseguir explicar como foi que cheguei a fazer tamanhas acusações. Sofria e ainda sofro de depressões e, nessas alturas, sou como um mergulhador debaixo de água, que vê tudo deformado. Via tudo subjetivamente e nem tentava refletir com calma sobre aquilo que os outros diziam. Se o tivesse feito, teria compreendido melhor os meus antagonistas e teria procedido de outro modo e sem magoar ninguém com o meu temperamento impetuoso.

Só via a mim mesma, fechava-me na minha concha, não fazia caso dos outros e sentia alívio ao confiar ao papel as minhas alegrias, a minha troça e, também, a minha tristeza. Este diário é para mim de grande valor por ter se tornado o meu livro de memórias. Mas muitas das suas páginas poderiam ser riscadas ou escrever por baixo "já passou".

Muitas vezes ficava furiosa com a mamãe e ainda agora me acontece o mesmo. Ela não me compreendia, é uma verdade, mas eu também não a compreendia. Sou sua filha e ela é boa e carinhosa para mim. Mas, como lhe criava tantas vezes situações desagradáveis, é compreensível que me ralhasse. Pois, por isso mesmo e ainda por tantas coisas que ela sofria, é que não pôde deixar de ficar nervosa e irritada. Eu não compreendia isso, ofendia-a, era insolente e agressiva e então ela ficava triste. E assim havia sempre entre nós algum mal-entendido e desgostos, o que não era agradável para nenhuma de nós. Mas tudo isso passou! Que eu não quisesse admitir essas coisas e tivesse tido pena de mim própria, também se compreende. As minhas atitudes eram arrebatamentos de maldade, das quais, numa vida normal, eu teria me libertado de maneira completamente diferente e sem testemunhas... Teria, por exemplo, sozinha no meu quarto, batido fortemente com os pés no chão, desabafando sem que ela percebesse o que se passava no meu coração.

Aquele tempo em que a mamãe chorava por minha causa já passou. Sou mais sensata, mais razoável e os nervos da mamãe também acalmaram. A maior parte das vezes, calo-me quando ela me arrelia, e ela faz o mesmo. Assim, as coisas correm bem melhor. Amar a mamãe incondicionalmente, como fazem tantas crianças, não é possível. Algo em mim se revolta contra isso. Mas acalmo a minha consciência com a convicção de que sempre é melhor escrever essas coisas no papel do que magoar os sentimentos de minha mãe.

Sua Anne

QUARTA-FEIRA, 5 DE JANEIRO DE 1944

Querida Kitty:

De repente, descobri o que não me agrada na mamãe. Ela mesma tem nos dito que vê em nós antes amigas do que filhas. Isso é uma coisa bonita, mas uma amiga não pode substituir a mãe. Eu queria ter na mamãe um exemplo, um modelo a seguir, queria poder erguer para ela os olhos. Pressinto que a Margot pensa de outra maneira a tal respeito e que nunca pode compreender as minhas ideias, e o papai evita falar no assunto. Na minha imaginação, uma mãe tem de ser, antes de mais nada, alguém com muito tato, principalmente quando se trata dos filhos. Não deve fazer como faz minha mãe, que ri quando eu choro lágrimas que não são de dor física, mas de dor íntima.

Há uma coisa – pode parecer incompreensível – que nunca perdoarei. Quando um dia tive de ir ao dentista, a mamãe e a Margot me acompanharam e acharam bom que eu levasse a bicicleta. Mas quando, acabado o tratamento, estávamos à porta do dentista, as duas disseram-me que ainda iam ao centro da cidade fazer compras e ver umas coisas – já não sei bem o que era. Eu queria ir também, mas não me deixaram por causa da bicicleta. Fiquei furiosa e as lágrimas vieram-me aos olhos, mas as duas começaram a rir. Então perdi a cabeça e, no meio da rua, deitei-lhes a língua de fora. Por acaso, passou uma mulher do povo que me olhou horrorizada. Fui sozinha para casa e chorei muito. É estranho, mas essa ferida que a mamãe, há tanto tempo, me causou, arde ainda todas as vezes que penso nisso ou quando me zango com ela.

Falar do segundo assunto custa-me muito, pois trata-se de mim própria. Li ontem um artigo de Sis Heyster sobre o corar. Aquilo parecia ser escrito para mim, embora eu não core tão facilmente. Mas o resto se aplica a mim perfeitamente.

Diz ela que uma garota, ao entrar na puberdade, fica mais calma e mais pensativa e que se debruça sobre o milagre do seu corpo. É justamente o que acontece comigo e agora até tenho vergonha da Margot e dos meus pais. Mas a Margot, que, em outras ocasiões, é muito mais acanhada do que eu, não faz cerimônias com essas coisas.

Dou-me conta das transformações exteriores do meu corpo e, mais ainda, daquilo que está mudando no meu íntimo. E como não falo sobre isso com ninguém, tento compreender sozinha.

De todas as vezes que tenho o "incômodo" – e já me veio três vezes –, tenho a sensação, apesar das dores e de tudo o que é desagradável e repugnante, de trazer comigo um segredo muito delicado. Alegro-me quando vivo de novo este, meu segredo. Diz Sis Heyster que as garotas da minha idade ainda não têm segurança, mas que pouco a pouco se vão revelando e começam a ter ideias, pensamentos e hábitos próprios.

Vim para o anexo quando tinha treze anos e, por isso, fui obrigada a refletir mais cedo sobre o mundo e a fazer a descoberta de mim mesma como de um ser humano que deseja ser independente.

Às vezes, de noite, não posso deixar de tocar nos meus seios e de sentir o bater calmo e seguro do meu coração.

Já antes de vir para aqui, sentia, inconscientemente, coisa parecida, pois uma vez, quando dormi com uma amiga minha, perguntei-lhe se, como prova de amizade, não podíamos tocar nos seios uma da outra, mas ela recusou-se. Eu gostava de lhe dar beijos e beijei-a muitas vezes.

Sempre que vejo uma figura de mulher nua, como por exemplo a Vênus, fico como em êxtase. É uma coisa tão bela que tenho de me dominar para não desatar a chorar!

Ai! Quem me dera ter uma amiga!

Sua Anne

QUINTA-FEIRA, 6 DE JANEIRO DE 1944

Querida Kitty:

O meu desejo de falar com alguém se tornou tão forte ultimamente, que escolhi, não sei por quê, o Peter como vítima. Quando eu estava lá em cima com ele, sentia-me bem. Mas como é modesto e incapaz de pedir a alguém para o deixar em paz, mesmo sentindo-se molestado, eu nunca tinha coragem de me demorar com receio de que me pudesse achar aborrecida.

Discretamente, faço agora tentativas para ficar mais um pouquinho para conversarmos e ontem, por acaso, houve um pretexto bom, pois o Peter tem a mania das palavras cruzadas e se pudesse não faria mais nada o dia todo. Ajudei-o, e assim ficamos à mesa, um em frente do outro, ele na cadeira, eu no divã.

Sempre que eu olhava para os seus olhos escuros e observava o sorriso em volta da boca, tinha uma sensação estranha. Adivinhava-lhe o íntimo. Lia-lhe no rosto a insegurança, o desamparo e, ao mesmo tempo, um laivo de certeza de se saber homem. O seu embaraço enterneceu-me e precisei o olhar de novo nos olhos, e pedi:

– Me conte tudo o que sente e não tenha medo de que eu seja indiscreta. Eu não serei!

A tarde foi passando e nada de especial aconteceu a não ser que lhe falei a respeito de corar, mas evidentemente não lhe disse tudo o que escrevi aqui. Só falei nisso por causa dele, para ele sentir mais segurança. Quando, de noite, na cama, pensei em tudo aquilo, a situação parecia-me desagradável e achei então um exagero da minha parte cobiçar assim as boas graças do Peter. Acho esquisito a gente tentar tanta coisa para satisfazer um desejo. Dou-me a mim como prova. Resolvi procurar mais vezes o Peter e fazê-lo falar. Não julgue que estou apaixonada por ele, não, nem pensar nisso. Se os Van Daans, em vez de um filho, tivessem uma filha, eu faria as mesmas tentativas para conseguir a sua amizade.

Hoje de manhã, acordei às sete horas e lembrei-me nitidamente do que sonhei.

Estava eu sentada à mesa, em frente ao Peter... folheávamos um livro ilustrado. O sonho tinha sido tão nítido que ainda me lembro das gravuras. Mas não acabou aqui. Os nossos olhares encontravam-se e eu via os olhos do Peter, tão belos, de um castanho aveludado. Depois o Peter disse, baixinho e carinhoso:

– Se eu soubesse, teria procurado você há mais tempo.

Virei-me bruscamente porque estava muito comovida. Então senti a face do Peter junto da minha e senti-me tão bem, ai! Tão bem!

Quando acordei, parecia-me sentir ainda o seu contato e tive a sensação de que os seus queridos olhos castanhos tinham penetrado até o fundo do meu coração e que tinham compreendido o quanto eu gostava dele e ainda gosto. Os meus olhos encheram-se de lágrimas, fiquei triste por ele estar tão longe de mim, mas também fiquei contente por sentir com tanta força que ainda gosto

> “Resolvi procurar mais vezes o Peter e fazê-lo falar. Não julgue que estou apaixonada por ele, não, nem pensar nisso.

do Peter. Estranho: tenho aqui visões tão nítidas.

Uma noite, apareceu-me a avó paterna com tanta nitidez que lhe consegui ver as rugas aveludadas na pele. Depois, veio a avó materna como anjo da guarda e, depois, a Lies, que para mim é o símbolo da infelicidade das minhas amigas e de todos os judeus. Ao rezar por ela, incluo sempre os judeus e todos os homens perseguidos e infelizes. E agora apareceu-me o Peter, o meu querido Peter! Nunca o tinha visto tão claramente na minha imaginação. Não tenho dele nenhuma fotografia, nem é preciso, pois tenho-o bem gravado na memória! Como é bom e simpático!

Sua Anne

SEXTA-FEIRA, 7 DE JANEIRO DE 1944

Querida Kitty:

Que boba que eu sou. Nunca me lembrei de contar a história dos meus admiradores.

Eu ainda era pequena e estava no jardim de infância quando simpatizei com Karl Samson. Ele já não tinha pai e vivia com a mãe na casa de uma tia. Bobby, o filho dessa tia, era um rapazinho esperto, esbelto e moreno, que conseguia sempre chamar a atenção sobre si mais do que o Karl, gordinho e desajeitado. Mas eu não me importava com o aspecto exterior e fui amiga do Karl durante anos. Éramos amigos de verdade.

Depois o Peter Wessel entrou na minha vida e foi a minha primeira paixão. Ainda nos vejo de mãos dadas correndo pelas ruas, ele com um terno de linho, eu com um vestido de verão.

Quando ele foi para o liceu, passei para a última série da escola primária. Ia me buscar na escola ou eu ia esperar por ele no liceu. O Peter era um lindo rapaz, alto, esbelto, bem-feito, com uma cara calma, séria e inteligente. Tinha cabelo escuro, a pele tostada, grandes e belos olhos castanhos e um nariz afilado. O que eu mais gostava nele era o sorriso que lhe dava um ar de maroto.

Passei as férias fora. Quando voltei, o Peter tinha mudado de casa. Morava agora com um rapaz mais velho do que ele e de quem era muito amigo. Esse rapaz deve ter feito ver que eu não passava de uma criança, e o Peter não quis saber mais de mim. No começo, nem queria acreditar, gostava tanto dele! Tive de me conformar, pois, se fosse andar atrás dele, diriam que sou maluca.

Os anos iam passando. O Peter andava com garotas da sua idade e sequer me cumprimentava, mas eu não conseguia esquecê-lo. Quando entrei para o liceu judaico, muitos dos rapazes se apaixonaram por mim. Achava aquilo engraçado, mas não sentia nada de especial por nenhum deles. Mais tarde, foi o Harry quem andou atrás de mim. Mas é como já disse: nunca mais me apaixonei.

Há um provérbio que diz: "O tempo cura todos os males". Era assim mesmo, e eu imaginava que ia me esquecer do Peter e que já nem gostava dele. Mas a recordação vivia tão forte no meu subconsciente que, um dia, tive de confessar a mim mesma o ciúme que sentia de todas as garotas do seu círculo. Por força, quis então achá-lo pouco simpático.

Hoje de manhã, vi que nada mudou. À medida que os anos iam passando e eu me desenvolvia, o amor pelo Peter crescia em mim. Compreendo que ele tenha me achado infantil, mas não posso deixar de sentir uma certa dor por ter me esquecido tão depressa. Vi-o muito nitidamente diante de mim e sei que nunca ninguém poderá encher da mesma maneira o meu coração.

O sonho confundiu-me. Quando o papai me beijou esta manhã, pensei em gritar: "Ai, se fosse o Peter!". Só posso pensar nele e durante todo o dia repito para mim: “Oh, Peter, meu querido Peter! Ninguém pode me ajudar”.

Tenho de continuar a viver e a pedir a Deus que me deixe reencontrar o Peter logo que eu fique em liberdade. Então vai ler nos meus olhos que o amo e vai dizer: “Oh, Anne, se eu soubesse, a teria procurado há mais tempo!”.

O papai disse-me uma vez, ao falar comigo sobre sexualidade, que eu ainda não podia compreender esse desejo, essa ânsia. Mas eu sabia que podia compreender, e agora compreendo sem dúvida! Nada me é tão caro como você, meu Peter! Contemplei a minha cara no espelho e achei-a transformada. Os meus olhos são agora muito claros e profundos, a pele é rosada como não a tinha havia muitas semanas, e a boca parece mais meiga. Tenho um ar de pessoa feliz e, todavia, há qualquer tristeza no meu olhar que afugenta o sorriso dos meus lábios.

Não, não posso ser feliz, porque sei que os pensamentos do Peter não estão comigo. Mas sinto os seus queridos olhos fixos em mim e a sua face, suave e fresca, contra a minha.

– Oh! Peter, Peter, como vou me libertar da sua imagem?

Qualquer outro que venha a tomar o seu lugar não passará de um substituto mesquinho! É você que amo, e amo de tal forma que o amor não coube no meu coração e rompeu para se revelar em toda a sua imensa plenitude.

Ainda há uma semana, mesmo ontem, se tivessem me perguntado com quem eu queria me casar, teria respondido: “Não sei”. Mas agora queria gritar alto para que me ouvissem:

– Quero o Peter, só o Peter! Amo-o com todo o meu coração, com toda a minha alma. Mas não quero que ele toque senão no meu rosto.

Estive hoje no sótão junto da janela aberta e imaginei conversar com ele. Acabamos por chorar os dois e senti nitidamente a sua boca e o seu rosto cheios de ternura por mim.

– Oh, Peter, pense em mim! Vem, meu querido, querido Peter!

Sua Anne

QUARTA-FEIRA, 12 DE JANEIRO DE 1944

Querida Kitty:

Há quinze dias, a Elli voltou. A Miep e o Henk não puderam vir durante dois dias porque comeram alguma coisa que lhes fez mal ao estômago.

A última novidade é que me interesso agora por balé e treino todas as noites. A mamãe transformou um vestido de renda azul-claro num ultramoderno vestido de balé. Uma fita passa no decote e cruza sobre o peito. Um laçarote enorme arremata tudo. Mas não consegui transformar os meus sapatos de ginástica em sapatilhas de balé.

Os meus membros, que tinham ficado quase rígidos, começam a tornar-se flexíveis como eram antes. Um exercício muito bom é este: sentada no chão e segurando em cada mão um calcanhar, levantar as duas pernas sem dobrar os joelhos. Para fazer isso, sento-me em cima de uma almofada para não torturar tanto o meu pobre cóccix.

Os adultos estão lendo o livro "Manhã sem Nuvens". A mamãe acha-o muito bom. Foca problemas da juventude. Cheia de ironia, pensei comigo mesma: "E se tratasse antes de compreender os jovens com quem vive?".

Acho que a mamãe pensa que a Margot e eu vivemos nas melhores relações

" A última novidade é que me interesso agora por balé e treino todas as noites. A mamãe transformou um vestido de renda azul-claro num ultramoderno vestido de balé.

do mundo com os nossos pais e que ninguém compreende tão bem os filhos como ela. Mas isso acontece com a Margot porque ela não tem pensamentos e problemas como eu. Não tenciono fazer à mamãe ver que, no íntimo de uma das suas filhas, as coisas se passam de uma maneira muito diferente do que ela imagina. Ficaria admirada, mas não seria capaz de resolver nada a meu respeito. Ela se sentiria apenas triste, e não vale a pena lhe dar esse desgosto. A mamãe bem sente na Margot uma dedicação maior do que em mim. Mas está convencida de que eu também mudarei. A Margot tem agora para mim muitos carinhos. Parece tão diferente! Já não troça de mim e é uma boa amiga. Não me vê apenas como a caçula com quem não se pode falar a sério. É curioso: às vezes, olho para mim como se fosse outra pessoa.

Estou contemplando esta Anne com serenidade e calma e folheio o livro da minha vida como se fosse uma pessoa estranha. Antigamente, na nossa casa, quando eu ainda não cismava tanto, estava convencida de que não pertencia ao papai, nem à mamãe, nem à Margot. Julgava-me uma espécie de ovo de cuco. Representava sozinha o papel de uma órfã e acabava por achar-me ridícula nessa figura tão triste quando, na realidade, levava uma boa vida.

Depois veio um tempo em que me esforçava para ser amável: todas as manhãs, quando ouvia alguém subir a escada do nosso quarto, fazia votos para que fosse a mamãe para nos dar bom-dia. Cumprimentava-a com meiguice e ficava muito contente por ela olhar para mim com carinho. Às vezes, ela, por causa disso ou daquilo, não estava tão simpática e, então, eu ia para a escola muito triste e desconsolada. Na volta, arranjava desculpas para ela, pensava que teria preocupações; e entrava em casa bem-disposta e alegre, ansiosa por contar as minhas aventuras... até acontecer a mesma coisa e eu ir, de novo, triste e pensativa para a escola. Às vezes, resolvia mostrar o meu desapontamento. Mas, ao voltar para casa, tinha sempre tantas coisas para contar que me esquecia. Só queria a todo custo que a mamãe me desse atenção.

Depois veio um período em que já não me importava de ouvir os passos na escada. Sentia-me só, enterrava a cabeça na almofada e chorava. Aqui é tudo muito pior. Mas Deus deu-me uma ajuda na minha desgraça: o Peter! Pego no medalhão que trago sempre comigo, beijo-o e penso:

– Que tenho eu que ver com toda essa trapalhada? Tenho o meu Peter. E o meu segredo.

Dessa maneira vou vencer muitas coisas. Haverá quem adivinhe o que se passa na alma de uma adolescente?

Sua Anne

SÁBADO, 15 DE JANEIRO DE 1944

Querida Kitty:

Não faz sentido eu repetir todos os detalhes das nossas brigas e as disputas. Só vou contar que guardamos agora muitos alimentos separados, como a carne e a manteiga. Fritamos nossas batatas à parte. Conseguimos mais um bocado de pão, porque às quatro horas da tarde os nossos estômagos já não aguentavam com a fome.

Está chegando o aniversário da mamãe. Já recebeu açúcar do Kraler para o dia da festa, e agora a sra. Van Daan está com inveja porque ele não deu para ela também. Muito ruim assistir todos os dias a cenas de choros e ouvir gritos de raiva. Pode crer, Kitty, estamos cheios até não poder mais.

A mamãe exprimiu o desejo de não ver os Van Daans durante quinze dias. Mas é um desejo que ninguém pode satisfazer. Será que sempre as pessoas obrigadas a viver juntas durante muito tempo acabam em conflitos? Ou nós temos pouca sorte? A maioria dos homens será na verdade egoísta e mesquinha? Adquirir alguns conhecimentos humanos é bom, mas agora já chega e sobra. A guerra ainda não acabou, e as nossas disputas, a fome de ar e de liberdade continuam.

Para que estou fazendo sermões? Desse jeito, viro uma solteirona rabugenta! E gostava tanto de ser uma moça de verdade!

Sua Anne

SÁBADO, 22 DE JANEIRO DE 1944

Querida Kitty:

Por que a maioria das pessoas esconde tanto o que vai no íntimo? E como se explica que eu me porte, diante das outras pessoas, tão diferente do que deveria ser? Deve haver razões para isso. É horrível não confiarmos inteiramente nos outros nem naqueles que nos são mais queridos. Tenho a sensação de ter ficado mais velha depois daquele sonho, de ter agora mais personalidade. Até vejo os Van Daans com outros olhos. Não vejo as suas discussões e os atritos só do nosso ponto de vista parcial. Por que será que estou tão mudada?

"Por que a maioria das pessoas esconde tanto o que vai no íntimo? E como se explica que eu me porte, diante das outras pessoas, tão diferente do que deveria ser? Deve haver razões para isso.

Cheguei à conclusão de que o nosso convívio podia ser diferente se minha mamãe fosse a mamis ideal. Sei que a sra. Van Daan não é uma pessoa delicada. Talvez metade dos conflitos pudesse ser evitada se a mamãe não fosse tão difícil nas suas relações com os outros e se tivesse mais tato nas conversas, pois a sra. Van Daan tem também o seu lado bom: apesar do egoísmo, da mesquinhez e da mania das discussões, é fácil levá-la a ceder.

Questões sobre educação, mimos, comida, etc., podem ser abordadas com franqueza e amizade. Assim, não teríamos chegado a este ponto nem veríamos só os lados desagradáveis dos outros.

Sei exatamente o que vai me dizer, Kitty!

"Mas, Anne, estas palavras são suas. Então não tem recebido tantas censuras dos de lá de cima? Não se lembra mais de todas as injustiças?".

Sim, sim, lembro! Mas, mesmo assim, as palavras são minhas. Quero eu própria aprofundar tudo e não papaguear o que dizem os mais velhos... Não! Quero observar os Van Daans e verificar o que é verdade e o que é exagero. Se, depois disso, ainda continuar desapontada, concordarei com os meus pais. Mas se os Van Daans forem melhores do que nos têm parecido, tentarei emendar a opinião errada do papai e da mamãe. Se mesmo isso não der certo, vou manter a minha opinião e o meu parecer. Vou aproveitar todas as ocasiões para falar com a sra. Van Daan e não me acanharei de dizer o que penso. Pois sempre fui considerada uma garota atrevida.

Não pense que quero agir contra a minha própria família, mas falar mal e ter preconceitos não é coisa que me agrade por mais tempo. Até agora, julgava firmemente que os Van Daans eram os culpados de tudo, mas temos culpa também. Às vezes, pode ser que tenhamos razão, mas as pessoas razoáveis devem fazer o possível para conviver com toda espécie de gente.

Reconheço isso e espero ter ocasião de poder aplicar as minhas ideias na prática.

Sua Anne

SEGUNDA-FEIRA, 24 DE JANEIRO DE 1944

Querida Kitty:

Aconteceu uma coisa muito estranha. Antigamente, falava-se em casa, em segredo, das coisas sexuais, e na escola só se falava disso de um modo feio. As garotas falavam baixinho e por meias palavras, e, se alguma não entendia o que aquilo queria dizer, riam dela. Eu achava tudo aquilo esquisito. Mas, como não podia mudar nada, calava-me ou falava do assunto de vez em quando com uma amiga mais íntima. Mais tarde, comecei a compreender tudo e os meus pais também resolveram me explicar as coisas. A mamãe disse uma vez:

– Anne, aconselho a não abordar esse tema com os rapazes e, sempre que eles quiserem começar, mude de assunto.

Ainda me lembro de que respondi:

– Claro, mamãe, que ideia!

E assim mantive as coisas até agora. Aqui, nos primeiros tempos, o papai falava-me, de vez em quando, de coisas que eu antes preferia ter ouvido da boca da mamãe. O resto aprendi nos livros e nas conversas.

O Peter Van Daan não se atreve a dizer nada a tal respeito. Só uma vez, muito no começo, falou no assunto, mas não era para provocar uma resposta.

A sra. Van Daan disse uma vez que nem ela nem o marido falavam sobre isso com o Peter. Ela nem fazia ideia até que ponto o Peter sabia dessas coisas.

Ontem, quando a Margot, o Peter e eu estávamos descascando batatas, a conversa caiu sobre Boche, o gato.

– Ainda não sabemos se Boche é gato ou gata? – disse eu.

– Eu sei – disse o Peter. – É gato!

– Lindo gato, que está à espera de gatinhos – comentei.

Umas semanas antes, o Peter tinha dito que Boche estava grávida porque tinha a barriga muito gorda. Provavelmente isso era consequência do costume de roubar petiscos. Agora o Peter quis se defender:

– Quer ver? Outro dia vi nitidamente que era gato.

Não consegui dominar a minha curiosidade e fui com ele ao armazém. Mas não havia meio do Boche aparecer. Esperamos um bocado e depois subimos porque estava muito frio. À tardinha, ouvi o Peter descer. Cheia de coragem, atravessei a casa silenciosa e fui ao armazém.

O Peter estava brincando com o Boche, estava pesando-o na balança.

– Olá, então quer ver agora?

Não fez cerimônias. Agarrou no Boche pela cabeça, segurou-lhe as patas, virou-o e a lição começou!

– Aqui é o sexo, aqui alguns cabelos soltos e isto é o traseiro.

O Boche deu meia volta e se pôs em cima das suas patinhas brancas. Se qualquer outro rapaz me tivesse mostrado assim "o sexo masculino", eu nunca mais olharia para ele. Mas o Peter tratou com tanta naturalidade esse tema melindroso, que acabei por não achar mal nenhum. Brincamos com o Boche, nos divertimos, falamos bastante e depois subimos devagarinho a escada.

– Quase sempre encontro num livro ao acaso aquilo que quero saber. Você também? – perguntei.

– Mas por quê? Eu pergunto ao meu pai. Ele sabe muita coisa e tem grande experiência.

Estávamos em cima da escada e eu me calei. Com outro rapaz não podia ter falado com tanta simplicidade.

Quando a mamãe me aconselhou que evitasse falar nesse assunto com rapazes, devia ser justamente isso o que ela receava. Senti-me todo o dia um tanto confusa ao pensar naquele encontro no armazém. Mas aprendi que se pode falar com rapazes de uma maneira ajuizada e sem dizer piadinhas estúpidas.

Será verdade que o Peter conversa muito com os seus pais? E será ele, na realidade, como se mostrou ontem? Que sei eu dele, afinal?

Sua Anne

QUINTA-FEIRA, 27 DE JANEIRO DE 1944

Querida Kitty:

Ultimamente estou apaixonada por árvores genealógicas, em especial pelas das casas reais. Quando começamos a pesquisar, precisamos recuar cada vez mais no tempo e chegamos a descobertas interessantíssimas. Os meus estudos vão bem, tenho feito progressos, já consigo perceber o "home-service" das emissões inglesas.

Aos domingos, passo o tempo arrumando a minha coleção de estrelas de cinema, aliás uma coleção muito respeitável. O sr. Kraler, amável como é, traz às segundas-feiras a revista de cinema. Embora os companheiros aqui do anexo achem que isso de comprar uma revista de cinema é jogar fora o dinheiro, não podem deixar de se admirar por eu ainda saber, depois de mais de um ano de isolamento, quem eram os artistas que trabalhavam em determinados filmes.

A Elli, nos dias de folga, vai quase sempre ao cinema com o namorado, e, quando ela me diz quais são os filmes da semana seguinte, digo-lhe logo quem são os artistas que entram e as críticas dos filmes. A Mansa disse outro dia que eu, quando sairmos daqui, já não preciso ir ao cinema, visto que já sei o conteúdo, a qualidade do filme e a distribuição dos papéis.

Quando apareço com um penteado novo, todos olham para mim com ar de censura e perguntam quem é a estrela que anda assim penteada. E, se falo que fui eu sozinha que inventei aquilo, acreditam com grandes reservas. Não me aguento mais de meia hora com o penteado porque os critiqueiros estragam o prazer. Vou ao quarto de banho restabelecer o meu penteado de todos os dias.

Sua Anne

“ Aos domingos, passo o tempo arrumando a minha coleção de estrelas de cinema, aliás uma coleção muito respeitável.

SEXTA-FEIRA, 28 DE JANEIRO DE 1944

Querida Kitty:

Hoje de manhã, me perguntei se você não se sente como uma vaca que precisa ruminar todas as notícias velhas e que já está aborrecida com essa alimentação monótona, e se não boceja ao ler estas cartas que não têm novidades. São enfadonhas, eu também acho maçante!

À mesa, quando não falamos de política ou de boas comidas, a mamãe e a sra. Van Daan desencantam recordações da sua juventude. Outras vezes, o Dussel delira ao lembrar-se do guarda-roupa da mulher, sempre cheio de coisas bem escolhidas, ou falando de cavalos de corrida, de um barquinho de remos já com rombos, de crianças milagrosas que já sabiam nadar aos quatro anos de idade, ou até de dores de músculos e de clientes medrosos.

Chegamos ao ponto em que se um dos oito começa a contar uma coisa, qualquer outro pode substituí-lo e continuar a história até o fim. Já conhecemos o final de todas as anedotas. Só quem as conta ri ainda.

Mas isso ainda seria suportável se os adultos não tivessem o hábito desagradável de contar as histórias do Koophuis, da Miep e do Henk dez vezes de formas diferentes, sempre enfeitadas com outras invenções. Tenho de me beliscar debaixo da mesa para não interromper o narrador entusiasmado, visto que meninas como a Anne não devem, de maneira nenhuma, corrigir os adultos, mesmo se estes disserem bobagens ou começarem a inventar.

O Koophuis e o Henk contam-nos tudo o que sabem de outras pessoas escondidas. Isso nos interessa muito e vivemos e sofremos com aqueles que foram apanhados como se fosse com a gente. Ficamos radiantes ao ouvir que algum prisioneiro foi posto em liberdade.

Esconder-se e desaparecer são agora coisas tão correntes como eram antigamente os chinelos do papai à espera, no inverno, diante do fogão.

Organizações como a "A Holanda Livre" fabricam falsos cartões de identidade, procuram esconderijos seguros, fornecem dinheiro e víveres e arranjam, para os rapazes cristãos escondidos, trabalho com mestres ou em empresas de confiança.

É admirável com que dignidade e altruísmo certas pessoas fazem esses serviços, arriscando a sua própria vida para prestarem auxílio aos outros. O melhor exemplo são os nossos protetores que, até agora, nos têm ajudado sem interrupção, e que nos levarão, se Deus quiser, até o fim de tudo isso. Se alguma coisa falhar, eles terão o mesmo triste destino de todos aqueles que protegem os judeus. Nunca deixam transparecer que somos um fardo – e não há dúvida de que somos. Nunca se queixam dos problemas que causamos. Todos os dias sobem até aqui, falam com os homens sobre o negócio e a política, com as senhoras sobre as dificuldades do governo da casa e conosco, os jovens, sobre livros e jornais. Entram sempre de cara satisfeita, não se esquecem, nos dias de festa, das flores e dos presentes, e estão sempre prontos a ajudar. Não devemos esquecer nunca, apesar de todas as histórias nos campos de batalha e de toda a luta contra os opressores, os sacrifícios dos nossos amigos, aqui, junto de nós, as provas diárias de simpatia e de amor!

Contam histórias mais fantásticas deste mundo, quase todas verdadeiras. O Koophuis falou-nos de um desafio de futebol no Nelderland, onde, de um lado, jogavam só os escondidos e, do outro, membros da guarda nacional.

Em Hilversum, houve distribuição de novos cartões de racionamento. Para que toda aquela gente que vive escondida não ficasse privada das rações, os funcionários do conselho convocaram os protetores para lhes entregarem os cartões. Mas é preciso cautela: tais façanhas não devem chegar aos ouvidos dos alemães.

Sua Anne

QUINTA-FEIRA, 3 DE FEVEREIRO DE 1944

Querida Kitty:

Estamos à espera da invasão mais dia menos dia. Os jornais não falam de outra coisa. Lê-se: "No caso de um desembarque dos ingleses na Holanda, as forças alemãs a defenderão, mesmo se for necessário inundar todo o país". Publicam mapas em que as zonas em questão estão sombreadas. Amsterdã está abrangida e já pensamos no que fazer quando a água atingir um metro de altura nas ruas. Ouvimos dizer: "Como não se pode nem correr nem andar de bicicleta, temos de passar de barco". Talvez possamos nadar. Vestidos de roupa de banho. Com capacetes de mergulhador, ninguém perceberá que somos judeus. Imagino as senhoras fugindo a nado quando as ratazanas as morderem nas canelas. (Claro, era um homem a fazer troça das mulheres.)

Mas vamos ver quem grita mais: eles ou nós! Nós não conseguiremos nos salvar. O armazém está tão podre que a casa cairá ao primeiro impulso da água.

Falando sério... Arranjaremos um barquinho e cada um pegará num dos velhos caixotes de açúcar do sótão e depois remará com uma colher de cozinha. Eu vou atravessar com pernas de pau, pois fui campeã quando pequena. O Henk Van Santen não precisa de nada disso. E, se levar a sua Miep às costas, ela terá boas pernas de pau. .

Essas conversas são engraçadas, mas a realidade talvez venha a ser diferente. Surge um segundo problema ligado ao desembarque. O que vamos fazer se Amsterdã for evacuada pelos alemães?

– Vamos com eles, sem dar nas vistas.

Não, de maneira nenhuma! Ficamos aqui, que ainda é o melhor. Os alemães são capazes de nos obrigar a ir para a Alemanha e depois não poupam ninguém!

– Está claro, ficaremos aqui. Ao menos, estaremos mais seguros. Temos de convencer Koophuis a vir também para aqui com a família. Será preciso arranjar serragem para dormir no chão. A Miep e o Koophuis deviam trazer alguns cobertores. Só temos trinta quilos de farinha, não chegará para todos, é preciso conseguir mais. O Henk talvez possa arranjar legumes secos. Temos trinta quilos de feijão e cinco quilos de ervilhas em casa e ainda cinquenta latas de legumes em conserva.

– Mãe, não será melhor fazer um balanço dos alimentos?

– Bem: dez latas de peixe, quarenta de leite, cinco quilos de leite em pó, três garrafas de azeite, quatro frascos de manteiga e quatro de carne, quatro frascos de morangos, dois garrafões de suco e vinte de purê de tomate, cinco quilos de flocos de aveia, quatro quilos de arroz. Eis tudo!

– Não é nada mau. Mas se quisermos alimentar as visitas e se só tivermos isso para comer, não parece que seja muita coisa. Carvão e lenha ainda temos; velas também. Seria bom que cada um tivesse já um saquinho de pendurar ao pescoço para levar o dinheiro, se for preciso.

– Acho que devíamos fazer listas daquilo que, em caso de fuga, fará mais falta e devíamos já encher as mochilas. Depois duas pessoas deviam estar de guarda, uma no teto, outra no sótão.

– Para que vão servir os alimentos se não tivermos nem gás, nem água, nem eletricidade? Cozinhamos no fogão da sala. Filtramos a água e fervemos. Vamos limpar uns garrafões para ter sempre água.

Essas conversas ouço todos os dias. Invasão para disputa aqui, para invasão acolá! Sobre a morte pela fome, sobre bombas, sacos de dormir, bombas incendiárias, certificados de judeus, gases venenosos e assim por diante. Para dar uma ideia mais nítida das preocupações constantes da gente do anexo, vou reproduzir uma conversa com o Henk:

– Estamos com medo de que os alemães, numa eventual retirada, levem toda a população com eles.

Henk:

– Impossível. Não há trens suficientes.

Anexo:

– Trens? Mas o senhor pensa que eles vão levar a gente de trem? Nem pensar nisso! Vão fazer andar a pé.

Henk:

– Não creio. Vocês são pessimistas demais. Que vantagem teriam eles em arrastar assim toda a população?

Anexo:

– Sabe o que disse Goebbels? "Se tivermos que nos retirar, fecharemos atrás de nós todas as portas dos países ocupados".

Henk:

– Oh! Já disseram tanta coisa!

Anexo:

– Pensa que os alemães são demasiado nobres ou humanitários para agir assim? Logo que cheire a perigo, vão arrastar tudo o que encontrarem pelo caminho.

Henk:

– Digam o que quiserem. Eu não acredito.

Anexo:

– É sempre a mesma coisa. As pessoas só veem o perigo depois de o terem experimentado no seu próprio corpo.

Henk:

– Mas nada se sabe de positivo. Tudo isso são apenas hipóteses.

Anexo:

– Mas já passamos por tudo isso, primeiro na Alemanha, depois aqui. E não vê o que estão fazendo na Rússia?

Henk:

– Esqueçam por um instante do problema dos judeus. Ninguém sabe o que se passa no Leste. A propaganda russa e inglesa exagera tanto como a alemã.

Anexo:

– Não pode ser. A rádio inglesa diz sempre a verdade. Mas, supondo mesmo que haja exageros, os fatos conhecidos já são bem eloquentes. Não se pode negar que os alemães matam com gases milhões de inocentes na Polônia e na Rússia, não é verdade?

Não vou amolar você com mais conversas. Faço o possível para me conservar calma e para não me preocupar. Já cheguei a um ponto em que é indiferente viver ou morrer. O mundo não parará por causa de mim, e eu, pela minha parte, não posso também fazer parar os acontecimentos. Venha o que vier.

Entretanto, estudo e trabalho e tenho esperança de que tudo acabará bem.

Sua Anne

SÁBADO, 12 DE FEVEREIRO DE 1944

Querida Kitty:

O sol brilha, o céu é de um azul intenso, sopra um vento maravilhoso, e eu... eu tenho saudades. Saudades... de tudo, da liberdade, dos amigos. Saudades de poder desabafar e de estar só comigo. Ai, se pudesse chorar à vontade, uma vez só que fosse. Queria aliviar o meu coração, queria chorar para me sentir melhor, mas sei que não pode ser. Estou inquieta, ando de um quarto para o outro, fico por trás da janela fechada e procuro respirar o ar de lá de fora através das frestas. Sinto o coração bater como se me pedisse para satisfazer o meu desejo!

Acho que a culpa é da primavera. Sinto-a despertar em todo o meu corpo e em toda a minha alma. Tenho que me esforçar para me conservar calma, sinto uma grande confusão, não consigo ler, nem escrever, nem fazer seja o que for. Só sei que tenho saudades.

Sua Anne

DOMINGO, 13 DE FEVEREIRO DE 1944

Querida Kitty:

De ontem para hoje muita coisa mudou. Ontem estava cheia de saudades e ainda estou. Hoje de manhã, notei que tudo era diferente. Mas notei com satisfação que o Peter não tirava de mim os olhos. Não olhava para mim como de costume, era diferente, não sei dizer nem escrever como. Sempre pensei que o Peter gostasse da Margot, e agora senti que não é nada disso. Durante todo o dia, não olhei muito para ele, pois sempre que o encarava, ele estava olhando também. Invadia-me então uma sensação maravilhosa. Sei que isso não está certo, que não deve repetir-se muitas vezes. Queria tanto estar só!

Peter já percebeu que estou diferente, mas não posso contar tudo! "Deixem-me em paz", queria gritar. Mas, quem sabe, talvez ainda venha um dia em que estarei mais só do que é meu desejo.

Sua Anne

SEGUNDA-FEIRA, 14 DE FEVEREIRO DE 1944

Querida Kitty:

No domingo, à noite, estavam todos ouvindo na rádio o programa "Música Imortal dos Mestres Alemães", só o Pim e eu é que não. O Dussel estava mexendo no botão do aparelho. O Peter ficou aborrecido com isso, e os outros também. Depois de uma meia hora, o Peter, que já estava muito nervoso, pediu ao Dussel, num tom irritado, que acabasse com aquilo. O Dussel respondeu meio condescendente, meio desdenhoso:

– Eu sei o que estou fazendo.

O Peter se enfureceu. O pai dele lhe deu razão, e o Dussel não teve outro remédio a não ser ceder. Não era coisa importante, mas, pelo visto, o Peter ficou muito aborrecido. Ele começou a me contar tudo hoje de manhã. Até então eu nem sequer sabia que tinha havido alguma coisa, e o Peter, como compreendeu que eu ouvia com interesse, entusiasmou-se:

– Repara que eu fico quase sempre calado, porque sei de antemão que não sou capaz de me exprimir bem. Desato a gaguejar, coro e digo muitas vezes o que não quero. Desisto por não encontrar as palavras certas. Assim aconteceu ontem. Queria dizer uma coisa mas, mal tinha começado, fui perdendo o sangue-frio. Isso é horrível. Quando me zangava com alguém, em vez de discutir, usava meus punhos. Bem sei que não é bom método e, por isso, é que a admiro. Sabe falar bem e não se acanha.

– Está enganado – respondi –, quase nunca digo o que quero dizer. E falo demais, parece que nunca mais acabo, e isso também é mau.

No meu íntimo estava rindo de contente, mas não queria que ele soubesse, pois faz tempo que queria que ele me falasse dele. Sentei-me confortavelmente no chão numa almofada, cruzei os braços, apoiei o queixo nos joelhos e olhei para ele. Eu era toda atenção.

Estou radiante por haver alguém nesta casa que consegue ficar com raiva como eu. Via-se bem que o Peter se sentia aliviado ao criticar o Dussel com expressões fortes sem ter medo de que eu o denunciasse. E eu, enfim, achei aquilo incrível porque senti renascer em mim o autêntico sentimento de camaradagem que tinha antes com minhas amigas.

Sua Anne

QUARTA-FEIRA, 16 DE FEVEREIRO DE 1944

Querida Kitty:

A Margot faz aniversário. Ao meio-dia e meia, veio o Peter para ver os presentes e ficou bastante tempo. À tarde, fui buscar um pouco de café e também batatas porque achava que a Margot, neste dia, devia ser bem tratada. O Peter, ao ver-me passar pelo seu quarto, tirou logo todos os seus papéis da escada e eu perguntei-lhe se queria que fechasse a portinha.

– Está bem e quando voltar, bata que eu abro imediatamente – disse.

Agradeci e subi. Durante dez minutos remexi no barril para escolher as batatas menores. Depois senti dores nas costas, de estar tanto tempo curvada, e também senti frio. Não bati, abri a porta sozinha. Mas o Peter veio imediatamente pegar o panelão.

– Andei muito tempo à procura, mas não encontrei batatas menores. – disse eu.

– Viu no barril grande?

– Vi. Revirei tudo com a mão.

Eu estava agora ao pé da escada e ele olhou para dentro da panela que segurava na mão. Depois disse:

– São boas, são ótimas.

E ao falar isso, me acariciou com um olhar tão quente e tão suave que me senti por dentro quente e suave. Compreendi que ele quis ser amável comigo. Mas, como não sabe fazer grandes discursos, pôs todos os seus pensamentos no olhar.

Que bom que eu o compreendi! E estava grata de todo o meu coração. Ainda agora me sinto contente ao reviver as suas palavras e o seu olhar. Quando voltei, a mamãe disse que as batatas não eram suficientes para o jantar. Ofereci-me logo para subir novamente.

Ao entrar no quarto do Peter, pedi desculpa por incomodá-lo novamente. Levantou-se, pôs-se entre a parede e a escada e quis, a toda a força, reter-me.

– Agora vou eu ao sótão. – disse.

Respondi que não era preciso, que eu não ia escolher outra vez as batatas menores. Convenceu-se e soltou-me. Quando voltei, abriu a fresta e pegou na panela. Ao sair da porta, perguntei:

– Que está lendo?

– Francês. – respondeu.

Perguntei se me deixava ver. Lavei as mãos e me sentei na frente dele, no divã. Depois de eu lhe explicar algumas coisas, começamos a conversar. Contou que, mais tarde quer trabalhar nas plantações nas Índias Orientais Holandesas. Falou também da sua vida em casa, do mercado negro e, por fim, disse que era um inútil. Respondi-lhe que ele tinha um forte complexo de inferioridade. Depois falou dos judeus. Achava mais cômodo se pudesse ser cristão e queria ser depois da guerra. Então eu quis saber se tinha a intenção de se batizar depois da guerra, mas ele disse-me que, afinal, não queria, porque depois da guerra ninguém saberia se ele era cristão ou judeu. Essa atitude fez-me doer, por um momento, o coração. É pena haver nele sempre um pedacinho de desonestidade.

Falamos ainda de meu pai, de conhecimentos humanos e de outras coisas mais. Só o deixei às quatro e meia. À noite, disse-me ainda uma coisa bonita sobre o retrato de uma estrela de cinema que lhe dei e que tem pendurado, há um ano e meio, no quarto. Como tinha gostado tanto, ofereci-lhe mais retratos de estrelas de cinema.

– Não – disse ele –, não me dê mais. Prefiro olhar só para aquela todos os dias, porque já se tornou para mim uma amiga.

Agora compreendo porque é que ele anda sempre com o Mouschi no colo. O seu complexo de inferioridade é muito grande. Pensa que é estúpido e que nós somos inteligentes. Quando lhe dou uma ajuda no francês, agradece-me mil vezes.

– Deixa disso. Em compensação, sabe muito mais inglês e geografia do que eu.

Sua Anne

SEXTA-FEIRA, 18 DE FEVEREIRO DE 1944

Querida Kitty:

Sempre que vou lá para cima é com a ideia de "ele". A minha vida agora é mais bela porque tem de novo um sentido e todos os dias me espera uma alegria.

E, ao menos, o objeto da minha amizade encontra-se sempre nesta casa, não tenho de recear rivais (com exceção da Margot). Não conclua que estou apaixonada. Não é bem isso. Mas sinto que entre mim e o Peter ainda se desenvolverá algum sentimento muito belo, que fará de nós amigos e confidentes. Sempre que posso, vou vê-lo. Agora já não é como antes quando ele não sabia o que me dizer. Pelo contrário: já estou na porta e ele ainda falando.

A mamãe não vê com bons olhos que eu vá tantas vezes lá para cima. Disse que eu não devia incomodar o Peter, que devia deixá-lo em paz. Não compreende ela que se trata da minha vida íntima? Sempre que vou ao quarto dele, ela olha-me de um modo estranho. E, quando volto, pergunta-me de onde venho. Não suporto isso, acho detestável.

Sua Anne

“A mamãe não vê com bons olhos que eu vá tantas vezes lá para cima. Disse que eu não devia incomodar o Peter, que devia deixá-lo em paz. Não compreende ela que se trata da minha vida íntima?

SÁBADO, 19 DE FEVEREIRO DE 1944

Querida Kitty:

Já é outra vez sábado e sabe o que isso quer dizer. De manhã houve silêncio. Trabalhei muito, mas com "ele" só falei rapidinho. Às duas e meia, fui com um cobertor para o escritório particular para poder ler ou escrever na escrivaninha com calma. Passado um tempo, eu não podia mais: enterrei a cabeça nos braços e comecei a chorar.

As lágrimas corriam, sentia-me muito infeliz. Ai! Se "ele" tivesse ido consolar-me! Eram quatro horas quando voltei aqui para cima. Tive de ir buscar batatas e pensei que fosse encontrá-lo. Mas, enquanto eu dava um jeito ao cabelo no quarto de banho, ouvi-o descer com o Boche ao armazém.

Chorei outra vez e fugi para o w.c. levando ainda comigo o espelho de cabo. aí fiquei, muito triste, e o meu avental vermelho encheu-se de manchas de tantas lágrimas.

"Assim não chego a cativá-lo". – pensei. Talvez ele nem se importe comigo, nem tenha nenhuma necessidade de se abrir e confiar. Pensará ele em mim de uma maneira superficial? Só me resta seguir o meu caminho, sozinha sem o Peter. De novo sem esperança e sem consolo.

Gostava de encostar, ao menos uma vez, a cabeça no seu ombro, para não me sentir tão desesperada e tão só. Talvez ele não me ache nada de especial e olhe para os outros do mesmo modo simpático. O seu olhar quente e suave só terá existido na minha imaginação? Oh, Peter, se você pudesses me ouvir ou ver! Mas eu não poderia suportar uma verdade que me desiludisse.

Enquanto nos meus olhos ainda havia lágrimas, já no meu íntimo surgia uma nova esperança.

Sua Anne

DOMINGO, 20 DE FEVEREIRO DE 1944

Querida Kitty:

Nós fazemos no domingo o que outras pessoas fazem na semana. Enquanto os outros passeiam, fazemos faxina.

Oito horas: sem consideração pelos dorminhocos, o Dussel levanta-se. Vai ao quarto de banho, depois desce, volta para cima e se lava durante uma hora.

Nove e meia: abrimos as cortinas, acendemos os fogões e os Van Daans se lavam.

Dez e quinze: os Van Daans estão assobiando. O quarto de banho está livre. Os nossos dorminhocos levantam. Andam depressa de um lado para o outro. Sucessivamente, a Margot, a mamãe e eu nos lavamos. Está um frio de rachar, e ainda bem que temos calças compridas. O papai é o último a se lavar.

Onze e meia: café da manhã. Nem quero falar disso. Já basta ouvir falar tanto de comida nesta casa.

Meio-dia e quinze: cada um faz o que tem vontade. O papai anda de joelhos escovando o tapete e faz isso com tanto entusiasmo que todo o quarto fica envolto numa nuvem de pó. O Dussel vira a cama dele e assobia o concerto de violino de Beethoven. Ouvem-se os passos da mamãe no sótão. Estende a roupa lavada. O sr. Van Daan põe o chapéu na cabeça e desaparece para o andar de baixo. o Peter, com o Mouschi ao colo, quase sempre vai também. A sra. Van Daan põe um avental comprido, veste um colete de lã preta, calça as galochas, envolve a cabeça num grosso xale vermelho, pega numa trouxa de roupa e despede-se com uma pose muito bem ensaiada. A Margot e eu lavamos a louça e arrumamos o quarto.

Sua Anne

QUARTA-FEIRA, 23 DE FEVEREIRO DE 1944

Querida Kitty:

O tempo está, desde ontem, maravilhoso e estou animada. Vou todas as manhãs ao sótão onde o Peter trabalha e onde respiro ar fresco. Do meu lugar favorito no chão, vejo um pedaço de céu azul e o castanheiro sem folhas, em cujos ramos cintilam gotinhas, e vejo as gaivotas que, no seu voo planado, parecem de prata.

O Peter, com a cabeça encostada à viga, e eu, sentada, respiramos o ar puro, olhamos lá para fora. Há entre nós qualquer coisa que não queremos afugentar com palavras. Olhamos assim muito tempo lá para fora e, quando o Peter precisou ir embora para rachar a lenha, eu sabia que ele era um ótimo rapaz.

> “Para qualquer pessoa que se sinta só ou infeliz, ou que esteja preocupada, o melhor remédio é sair para o ar livre, ir para qualquer parte, onde possa estar só com o céu e com a natureza, e com Deus.

Subiu a escadinha estreita, segui-o, e, durante um quarto de hora, enquanto ele trabalhava, não pronunciamos uma única palavra. Vi bem que se esforçava por me mostrar que tem força.

Mas vi também, através da janela aberta, um pedaço de Amsterdã. Olhei sobre os telhados até a linha do horizonte que, de tão azul e de tão límpido, quase não se distinguia do céu.

Enquanto ainda há um sol tão brilhante, um céu sem nuvens e tão azul, e enquanto me é dado ver e viver tamanha beleza, não devo estar triste.

Para qualquer pessoa que se sinta só ou infeliz, ou que esteja preocupada, o melhor remédio é sair para o ar livre, ir para qualquer parte, onde possa estar só com o céu e com a natureza, e com Deus. Então compreende que tudo é como deve ser e que Deus quer ver os homens felizes no meio da natureza, simples e bela. Enquanto assim for, sei que há um consolo para todas as dores e em todas as circunstâncias. Acho que a natureza alivia os sofrimentos.

Talvez eu possa, em breve, partilhar esta felicidade suprema com alguém que sinta as coisas como eu.

Estamos privados de muita coisa e há muito tempo. Não falo de coisas exteriores, as que temos ainda chegam. Não, falo daquilo que se passa dentro de nós. Queria liberdade e ar, mas creio agora que temos boa compensação disso que nos falta. Foi o que compreendi, de repente, hoje de manhã, quando estava sentada junto da janela. Ao olhar lá para fora e ao reconhecer Deus na natureza, senti-me feliz, apenas feliz.

– Oh, Peter, enquanto esta felicidade está em nós, esta felicidade da natureza, da saúde e de muitas coisas mais, enquanto formos capazes de conservar tudo isso em nós, a felicidade voltará sempre. Fortuna, fama, tudo pode perder, mas a felicidade do coração, ainda que, às vezes, esteja obscurecida, torna a vir enquanto viver. Enquanto puder erguer os olhos para o céu, sem medo, saberá que tem o coração puro, e isso significa felicidade.

Sua Anne

DOMINGO, 27 DE FEVEREIRO DE 1944

Querida Kitty:

De manhã até a noite, só penso no Peter. Adormeço com a sua imagem nos olhos, sonho com ele e, quando acordo, sinto o seu olhar em mim.

Parece que o Peter e eu não somos tão diferentes como parece à primeira vista. A ambos nos falta uma mãe. A dele é muito superficial e não se preocupa com a vida do filho. A minha pensa em mim, mas não possui o tato com que as mães devem compreender as coisas.

Lutamos contra o que se passa dentro de nós. Falta-nos ainda a segurança, somos acanhados e frágeis, não suportamos que alguém toque o nosso íntimo com grosseria. Quando isso acontece comigo, a minha primeira reação é: "Quero ir-me embora". Mas, como é impossível, escondo os meus sentimentos e porto-me tão mal que todo mundo quereria que eu realmente fosse embora.

O Peter também se fecha na sua concha, não fala, sonha e se esconde cheio de receios. Como e onde vamos ficar juntos? Não sei durante quanto tempo poderei dominar este meu desejo.

Sua Anne

SEGUNDA-FEIRA, 28 DE FEVEREIRO DE 1944

Querida Kitty:

Já virou um pesadelo! Estou sempre perto dele; não devo deixar transparecer nada, tenho de parecer despreocupada e alegre, ao passo que, no meu íntimo, tudo é desespero.

Agora Peter Wessel e Peter Van Daan formam um Peter só. E esse Peter é bom e eu o amo e quero-o para mim. A mamãe está insuportável, o papai sempre gentil e, por isso, mais insuportável ainda, a Margot pretende tornar-se amável, e eu só queria que me deixassem em paz.

O Peter não veio falar comigo quando eu estava no sótão. Saiu para fazer carpintaria. A cada martelada, eu ia perdendo mais a coragem e ficando mais triste.

Estou sendo sentimental, ando desesperada e não tenho juízo. Sei disso!

Ai, me ajude!

Sua Anne

QUARTA-FEIRA, 1 DE MARÇO DE 1944

Querida Kitty:

As minhas preocupações passaram para segundo plano por causa de um roubo. O que fazer se os ladrões sentem um prazer especial em honrar a firma Kolen & Co. com a sua visita? Dessa vez, a coisa foi mais complicada do que em julho do ano passado. Quando o sr. Van Daan desceu ontem, como de costume, ao escritório do Kraler, viu que as portas estavam abertas. Surpreso, deu uma volta para inspecionar o resto e ficou ainda mais surpreendido ao ver o caos no escritório principal. Correu escada abaixo até a porta de entrada. Mas a porta e o fecho de segurança estavam intactos.

"O Peter e a Elli foram descuidados!", pensou. Ficou algum tempo no escritório, depois fechou as portas. Subiu e não se incomodou mais com as portas abertas, nem com o estranho caos no escritório. De manhã, o Peter bateu cedo à nossa porta e deu-nos a notícia desagradável de que a porta da rua estava largamente aberta e de que tinham desaparecido do armário, o aparelho de projeção e a nova pasta do Kraler. Peter recebeu ordens para fechar a porta da rua, e só agora o sr. Van Daan nos contou as suas observações da noite anterior. Ficamos muito preocupados.

Essa história só tem uma explicação: o ladrão possui uma chave igual à chave de segurança, pois a porta não estava arrombada. Certamente entrou dentro da casa muito cedo, fechou a porta atrás de si e, ao ouvir o sr. Van Daan, se escondeu. Depois de este ter subido, fugiu o mais depressa que pôde com as coisas roubadas. Com a atrapalhação, esqueceu-se de fechar a porta da rua.

Mas quem será o homem que tem a chave? E porque é que não entrou no armazém? Será um dos próprios empregados do armazém? E se ele nos denunciar? Tudo isso é quase sinistro, porque nunca sabemos se e quando o ladrão virá de novo abrir a porta. Ou será possível que ele próprio tenha se assustado por ter visto alguém dentro da casa?

Sua Anne

QUINTA-FEIRA, 2 DE MARÇO DE 1944

Querida Kitty:

A Margot e eu estivemos hoje no sótão. Mas o prazer não foi o mesmo, embora eu saiba que em muitas coisas ela sente como eu.

Ao lavar a louça, a Elli confessou à minha mãe e à sra. Van Daan o seu desespero. E sabe como as duas a consolaram? Sabe qual foi o conselho que a mamãe lhe deu? Que devia pensar em todos aqueles que estão agora morrendo no mundo! Mas, quando uma pessoa está desesperada, adianta pensar nas misérias dos outros? Foi o que eu disse, mas me responderam:

– Não sabe nada dessas coisas ainda.

Os adultos são tapados, são estúpidos. Como se a Margot, o Peter, a Elli e eu não sentíssemos o mesmo! Só o amor de uma mãe ou o amor de um grande amigo nos pode consolar. As nossas mães não têm uma centelha de compreensão. A sra. Van Daan ainda é melhor do que a minha mãe. Eu gostaria de ter dito à pobre Elli algumas palavras, dessas palavras que confortam, como sei por experiência própria. Mas o papai interveio e me afastou. São tão estúpidos, todos eles! Nós não temos direito a uma opinião!

Mamãe anda me criticando a torto e a direito. Tem ciúmes da sra. Van Daan, com quem agora falo mais do que com ela.

Hoje à tarde, falei com o Peter. Conversamos pelo menos uns quarenta e cinco minutos. O Peter tem muita dificuldade em falar de si próprio, mas pouco a pouco vai falar. Contou-me que os pais se zangavam a cada passo por causa de política, dos cigarros e de outras coisas. Depois falei para ele dos meus pais. O Peter admira muito meu pai. Assim falamos de nossas famílias. Ficou admirado quando eu lhe disse que não gosto muito dos pais dele.

Peter é uma pessoa incrível, exatamente como meu pai.

Sua Anne

SEXTA-FEIRA, 3 DE MARÇO DE 1944

Querida Kitty:

Hoje, quando se acenderam as velas, fiquei contente. Vi a vovó envolvida pela luz. A vovó é quem me protege e preserva e quem me devolve sempre a alegria e a satisfação.

Mas... agora há mais uma pessoa que domina os meus pensamentos: é o Peter. Quando fui buscar as batatas e estava, com a panela cheia, ao pé da escada, ele me perguntou:

– O que você fez hoje de tarde?

Sentei-me num degrau e conversamos. Só às cinco e quinze, uma hora depois de ter subido, desci com as batatas.

O Peter não falou dos pais dele. Falamos de livros e dos tempos passados. Quase podia me apaixonar por ele!

Depois de ter descascado as batatas, fui falar com ele. Estava calor e eu disse:

– Para saber a temperatura, basta olhar para mim e para a Margot. O frio nos deixa pálidas e com o calor ficamos coradas.

– Apaixonada? – perguntou.

– Eu apaixonada? Mas por quê? – respondi com cara de inocente.

– E por que não? – perguntou.

Depois descemos para jantar.

O que queria ele dizer com aquilo? Hoje perguntei, finalmente, se não achava as minhas conversas chatas. Ele disse:

– Acho-as engraçadas.

“ Hoje, quando se acenderam as velas, fiquei contente. Vi a vovó envolvida pela luz. A vovó é quem me protege e preserva e quem me devolve sempre a alegria e a satisfação.

E não disse mais nada. Não sei se é porque é muito tímido.

Oh, Kitty! Estou a portar-me como uma apaixonada que não consegue falar senão do seu namorado. Mas, pode acreditar, o Peter é um amor de rapaz! Quando poderei dizer para ele? Claro que não será antes de ele me achar também um amor de garota. Eu não sou uma gatinha que se possa tocar sem luvas, bem sei. A verdade é que o Peter gosta do seu sossego, e será difícil eu saber se gosta de mim.

De qualquer forma, estamos nos conhecendo melhor um ao outro e eu só queria que tivéssemos coragem para nos abrirmos ainda mais. Quem sabe, talvez isso aconteça mais depressa do que eu imagino. Ele me olha várias vezes como quem me compreende e eu respondo piscando os olhos. E então ficamos ambos felizes e divertidos!

Devo parecer uma boba falando assim da nossa felicidade, mas estou convencida de que ele pensa exatamente como eu!

Sua Anne

SÁBADO, 4 DE MARÇO DE 1944

Querida Kitty:

Este sábado é, desde há meses e meses, o primeiro que não foi chato, triste e desesperado. E isso por causa do Peter.

Quando, hoje de manhã, fui ao sótão para estender o meu avental lavado, estava lá o papai, que estuda todos os dias com o Peter. Perguntou-me se eu não queria ficar estudando com eles. Claro que quis, e falamos primeiro francês. Expliquei umas coisas ao Peter e depois passamos para o inglês. O papai leu-nos umas passagens de um livro de Dickens e, confesso, senti-me no sétimo céu, assim sentada ao lado do papai e tão próxima do Peter.

Às onze, desci. Quando, meia hora depois, voltei para cima, o Peter já me esperava junto da escada. Conversamos até as quinze para a uma. Sempre que pode, isto é, quando ninguém está ouvindo, ele me diz depois do almoço:

– Até logo, Anne.

Ah, como me sinto contente! Ele gostará de mim? Seja como for, o Peter é um ótimo rapaz e acho que vamos nos dar muito bem. A sra. Van Daan gosta de nos ver juntos. Mas hoje perguntou um tanto gozadora:

– Posso deixar os dois sozinhos lá em cima?

Protestei:

– Claro que pode. A senhora quer me ofender?

Da manhã até a noite, adoro ver o Peter.

Sua Anne

SEGUNDA-FEIRA, 6 DE MARÇO DE 1944

Querida Kitty:

Leio no rosto do Peter que pensa tanto em mim como eu nele. Ontem à noite, aborreci-me terrivelmente quando a sra. Van Daan disse, gozadora:

– Olhem o grande pensador!

O Peter corou, ficou amuado, e tive vontade de pular na cara dela. Por que é que falam sem precisar? Não calcula como sofro por vê-lo assim tão só. Compreendo-o como se fosse eu própria a viver a sua vida, sinto o desespero dele quando discutem. Se ficam bravos perto dele, vejo o vazio em que ele mergulha. Pobre Peter! Como precisa de amor! Disse-me que não precisava de amigos... Ainda trago nos ouvidos a dureza dessas palavras. Como está enganado!

Acho que não acredita no que disse. Quer, por força, parecer uma pessoa indiferente, não mostrar os seus sentimentos. Quanto tempo quererá assim enganar, Peter?

Oh, Peter, se me deixasse ajudar! Os dois juntos venceríamos a nossa solidão.

Penso sempre, mas não falo para ninguém. Sinto-me feliz quando o vejo e quando vejo o sol brilhar.

Ontem, ao lavar o cabelo, estava terrivelmente endiabrada. Sabia que ele se encontrava no quarto ao lado. Não tenho culpa: mas quanto mais calada e mais séria estou, no íntimo mais espalhafato tenho de fazer. Quem será o primeiro a descobri-lo e a quebrar a armadura? Ainda bem que os Van Daans não têm uma filha! A minha conquista não seria tão difícil, tão bela e tão esplêndida se não fosse a atração do sexo oposto!

Sua Anne

P. S.: Bem sabe que escrevo tudo com a máxima franqueza. Por isso, vou ainda confessar que só vivo agora dos nossos encontros. Quem me dera saber se ele também me espera com a mesma ansiedade. Fico radiante quando sinto as suas tímidas tentativas de uma aproximação. Sei que ele gostaria tanto como eu, de abrir, finalmente, o coração. Não adivinha que é justamente a sua falta de jeito que me encanta.

Sua Anne

TERÇA-FEIRA, 7 DE MARÇO DE 1944

Querida Kitty:

Quando penso na minha vida de 1942, tudo me parece irreal. Essa vida era vivida por uma outra Anne, diferente desta que tem, agora, tanto juízo. Era uma vida boa, se era! Tantos admiradores como os dedos das mãos. Uns vinte amigos e conhecidos, a aluna favorita de quase todos os professores, mimada pelos pais, sempre doces e guloseimas, dinheiro para gastar. O que mais queria? Como eu conseguia que todos gostassem tanto de mim? Se o Peter diz que tenho charme, talvez não tenha bem razão.

Os professores gostavam das minhas respostas vivas, das minhas observações cômicas, da minha cara sempre sorridente e do meu olhar crítico, divertido e ameno. Eu era isto: brincalhona, alegre e gostava de flertar. Mas tinha também algumas boas qualidades que me davam a garantia de não cair em desgraça com ninguém: era trabalhadora, franca e sincera. Nunca impedia que alguém, fosse quem fosse, copiasse os meus exercícios, não era vaidosa e repartia sempre os meus doces com os outros. Quem sabe se a admiração de que gozava não faria de mim uma pessoa petulante?

Como é que me chamavam na escola, onde eu estava sempre à frente em todas as partidas e brincadeiras? "A líder". E eu nunca tinha mau humor ou má disposição. Por isso não era de admirar que todos gostassem de me acompanhar e fossem simpáticos e atenciosos.

Agora vejo essa Anne como uma garota simpática, mas superficial, que nada tem em comum comigo. O Peter disse, e muito bem:

– Quando eu a encontrava, via-a sempre com dois ou três rapazes e com um bando de garotas, sempre rindo e se divertindo. Era o centro das atenções.

O que resta dessa garota? Ainda não me esqueci de rir e de dar respostas. Ainda sei criticar as pessoas e, talvez até melhor do que antes, sei namoricar se der vontade. Gostaria de voltar a viver assim, só por uma tarde, uns dias, ou uma semana, despreocupada, mas no fim da semana estaria saturada e ficaria grata à primeira pessoa que me aparecesse falando em coisas sérias. Não preciso de admiradores, mas sim de amigos. Não preciso de adoradores em troca de um sorriso, mas sim de alguém que dê valor à minha maneira de ser e ao meu caráter. Sei que assim terei menos gente à minha volta. Mas não importa, o principal é que me fiquem algumas pessoas de caráter.

Depois do Ano Novo, a transformação... o meu sonho. Foi através dele que descobri o meu desejo de um rapaz e não de uma amiga, o desejo de um amigo. Descobri também a felicidade no meu íntimo e a minha armadura exterior feita de superficialidade e de alegria. Pouco a pouco, acalmei e comecei a sentir uma ânsia sem limites de tudo o que é bom e belo.

Quando, à noite, estou na cama e remato a oração com estas palavras: "Agradeço o bem, o amor e a beleza", então todo o meu ser rejubila. Ponho-me a pensar em tudo o que foi "o bem": a nossa fuga para aqui, a minha saúde; e no "amor": o Peter e tudo aquilo que é tão delicado e sensível que ambos ainda não ousamos tocar, mas que um dia virá, no futuro, a felicidade. E penso na beleza que envolve o mundo: a natureza, a arte, a grandeza e tudo o que a isso está ligado.

Não penso na miséria, mas em tudo o que é terno e maravilhoso. É nisso que reside em grande parte a diferença entre a mamãe e eu. Quando alguém está triste, ela aconselha: "Lembre-se da miséria que vai pelo mundo e seja grata por você não fazer parte dela". Eu digo: "Vá e procure os campos, a natureza e o sol. Vá, procure a felicidade em você e em Deus. Pense no que é belo e que se realiza em você e a sua volta, sempre e sempre de novo".

Acho o conselho da mamãe errado, pois o que pode fazer alguém que se sente infeliz? Perder-se na miséria? Acho que sempre resta alguma coisa de belo. Sem a beleza teremos perdido a liberdade e alguma coisa de nós. Devemos agarrar-nos a ela e reencontraremos Deus. Aquele que é feliz espalha felicidade. Aquele que teima na infelicidade, que perde o equilíbrio e a confiança, perde-se na vida.

Sua Anne

SÁBADO, 11 DE MARÇO DE 1944

Querida Kitty:

Ultimamente não tenho tido paciência para estar sentada à minha mesa. Gosto de conversar com o Peter e só tenho receio de que ele enjoe disso. Já me contou muitas coisas da sua vida, dos seus pais e dele próprio. Eu ainda queria que ele me contasse mais.

Depois pergunto a mim mesma porque é que espero tanto dele. Antigamente ele achava-me insuportável e eu pagava-lhe na mesma moeda. Mas as coisas mudaram. Se, no entanto, ainda pudermos nos tornar amigos íntimos, suportaria muito melhor esta vida de isolamento. Não quero excitar-me mais. Estou pensando demais nele e não tenho o direito de importunar você.

Sábado à tarde, fiquei, depois de uma série de notícias tristes, tão maldisposta e confusa que me deitei na cama. Só queria dormir e não pensar em nada. Dormi até as quatro horas, depois tive de ir ao quarto dos meus pais. Foi fácil responder às perguntas da mamãe. Disse que tinha dores de cabeça e não menti. É que eu tinha dores de cabeça... na alma.

Suponho que gente normal, garotas normais, adolescentes da minha idade, achariam-me provavelmente absurda por eu me lamentar tanto. Durante o dia, sou atrevida para não precisar responder às perguntas e para evitar aborrecimentos.

A Margot é carinhosa comigo e talvez gostasse de ser a minha confidente, mas não posso dizer tudo para ela. É simpática, boa e bonita, mas um tanto acadêmica quando conversamos sobre coisas profundas. Ela procura me compreender, não há dúvida nenhuma, reflete mesmo sobre a sua irmã maluquinha, fixa-me com os olhos de examinadora quando digo isso ou aquilo e, provavelmente, pensa com os seus botões: "Estará ela representando ou será sincera?". Estamos sempre juntas e eu não queria ter a minha confidente sempre tão perto. Quando sairei deste labirinto de pensamentos? Quando haverá calma e paz no meu coração?

Sua Anne

TERÇA-FEIRA, 14 DE MARÇO DE 1944

Querida Kitty:

Neste momento estou (a mulher da limpeza encontra-se lá embaixo, nos escritórios) à mesa dos Van Daans, coberta com um oleado. Aperto o nariz e a boca com um lenço perfumado. Como os nossos fornecedores foram apanhados por causa dos cartões do racionamento e outras coisas do gênero, não temos mais cartões e, portanto, nenhuma gordura. A Miep e o Koophuis estão doentes, a Elli não pode sair para fazer as compras e, por consequência, a nossa disposição é desoladora e a comida também.

Para amanhã não temos mais gordura ou manteiga. Acabaram-se as batatas fritas no café da manhã. Agora comemos papinhas. A sra. Van Daan tem medo de que morramos de fome e, felizmente, conseguiu arranjar um pouquinho de leite "negro". O nosso almoço: feijão de conserva de barrica! Daí as minhas providências que tomei com o lenço. É incrível como o feijão cheira mal depois de ter estado guardado durante um ano. Todo o quarto cheira a uma mistura de ameixas podres, desinfetante e ovos podres. Argh! Só de pensar que tenho de comer aquilo, já fico enjoada. Ainda por cima, as nossas batatas andam estragadas: metade vai para o lixo. Ao descascá-las, entretemo-nos a diagnosticar as mais variadas doenças.

Quem nos dera que essa miséria acabasse! Com franqueza, eu ainda aguentava a má comida se o resto fosse mais agradável. Mas o mal está em que todos nós, com a vida monótona que levamos, ficamos nervosos. Aqui tem as opiniões de cinco escondidos sobre a nossa vida:

Sra. Van Daan:

– Estou farta de ser a criada de cozinha. Mas quando não tenho nada que fazer, aborreço-me. Portanto, ponho-me a cozinhar. Mas cozinhar sem gorduras é inconcebível, só o cheiro me deixa doente. Ainda por cima, todos me agradecem o trabalho com cara feia e resmungam. Sou a ovelha negra do rebanho e tenho culpa de todo o mal que acontece. Além disso, penso que a guerra vai mal e talvez os alemães ainda vão vencer. Tenho medo de que morramos todos de fome. E ainda querem que eu esteja bem-disposta.

Sr. Van Daan:

– Preciso fumar, fumar, fumar. Assim suporto tudo: a política, a comida e o mau humor da minha Kerli. Mas já que não tenho cigarros, apetecia-me, ao menos, um bocado de carne. Estou sempre dizendo que vivemos miseravelmente, nada me serve, há discussões por tudo e por nada e acho a Kerli estúpida.

A sra. Frank:

– A comida não é coisa tão importante. Só queria uma fatia de pão de centeio. Estou com fome. Se eu fosse a sra. Van Daan, já tinha desabituado o meu marido de fumar tanto. Faz o favor, me dê-me cigarro para acalmar os nervos. Os ingleses têm os seus defeitos, mas a guerra está indo bem. Ainda bem que posso falar à vontade e que não estou presa na Polônia.

Sr. Frank:

– Acho que tudo vai bem, não preciso de nada. Necessitamos é de calma, de paciência. Se não me faltarem as batatas, estou satisfeito, mas não se esqueçam de guardar algumas da minha ração para a Elli.

O sr. Dussel:

– Tenho de concluir a tese antes de mais nada. A política? Essa vai às mil maravilhas! Acho impossível que nos descubram aqui. Eu... Eu, eu, eu...

Sua Anne

QUARTA-FEIRA, 15 DE MARÇO DE 1944

Querida Kitty:

Todos os dias escuto: se acontecer isso ou aquilo teremos as maiores dificuldades... e se aquela garota ficar doente, já não temos mais ninguém no mundo... e se...

Já sabe a lenga-lenga. Pelo menos já deve conhecer bastante esta gente do anexo para poder adivinhar o que andam falando.

A causa desses "se, se..." é a seguinte: o sr. Kraler foi convocado para um "campo de trabalho", a Elli está terrivelmente resfriada, a Miep ainda não se levantou da gripe e o sr. Koophuis teve outra vez uma hemorragia e desmaiou! Um monte de desgraças.

O pessoal do armazém tem feriado amanhã. Se a Elli tiver de ficar em casa, a porta ficará fechada e temos de fazer muito pouco ruído para que os vizinhos não desconfiem. O Henk deve vir à uma hora para olhar pelos "abandonados" e para representar o papel de guarda de jardim zoológico. Hoje, na hora do almoço, contou-nos, pela primeira vez depois de muito tempo, coisas do grande mundo lá de fora. Ouvimos todos com o máximo interesse. Há um quadro que se chama "Vovó conta histórias". O nosso grupo deve ter tido o mesmo aspecto. Falou, falou, com muitos detalhes e não se esqueceu de contar-nos coisas sobre comidas e do médico da Miep, por quem perguntamos.

– Médico? Não me falem desse médico! Hoje de manhã telefonei para ele, mas só consegui que um assistentezinho viesse ao telefone. Pedi uma receita contra a gripe. Disse-me que, entre as oito e as nove, podia ir buscá-la. Quando se trata de uma gripe mais grave, suponho que o médico venha pessoalmente ao telefone para dizer: "Mostre a língua... diga aaahhh... sim, senhor, ouço bem, tem a garganta inflamada. Vou transmitir a receita à farmácia. Depois pode ir lá buscar o remédio. Bom dia!". Lindo serviço, não há dúvida. Consultas exclusivamente pelo telefone!

Mas podemos acusar os médicos? Cada pessoa só tem duas mãos e, infelizmente, existem agora muitos doentes e poucos médicos. Mas não pudemos deixar de rir quando representou aquela conversa ao telefone. Imagino como é diferente agora a sala de espera de um médico. Devem desprezar as pessoas que não sofrem de nada sério, mas que gostam de se queixar. Provavelmente falam assim:

– O que você quer? Vai para o fim da fila, que temos agora de tratar primeiro os autênticos doentes.

Sua Anne

QUINTA-FEIRA, 16 DE MARÇO DE 1944

Querida Kitty:

O tempo está maravilhoso, indescritivelmente maravilhoso. Vou ao sótão. Agora sei por que sou mais agitada do que o Peter. Ele tem um quarto só para ele, onde pode sonhar, pensar, dormir.

Eu sou empurrada de um quarto para o outro. Raras vezes estou sozinha no quarto que partilho com o Dussel, e tenho sempre tanto desejo de estar só! Por isso, fujo a cada passo lá para cima. Lá e com você, Kitty, posso, por pouco tempo, ser eu mesma. Mas não vou me queixar, pelo contrário, vou ser corajosa. Os outros, felizmente, não percebem o que se passa comigo, porque é que sou mais fria com a mamãe, menos meiga com o papai. Falo muito pouco com a Margot sobre as minhas coisas. Tenho que manter a minha aparência exterior.

Os outros não precisam conhecer a confusão do meu íntimo, uma espécie de luta entre o desejo e a razão. Até agora a razão tem sido sempre vencedora, mas não chegará o dia em que perderá? Às vezes, tenho medo disso, outras vezes, desejo que assim aconteça.

É pena não poder falar sobre essas coisas com o Peter, mas eu sei que é a ele que compete começar. Fico triste de não poder continuar as minhas conversas dos sonhos durante o dia e que as aventuras sonhadas não se tornem realidade. Sim, Kitty, é verdade, a Anne não regula bem.

Mas não se esqueça: vivo numa época louca e em circunstâncias loucas. Que sorte poder escrever o que penso e sinto. Se não fosse isso, ficaria sufocada.

O que pensará o Peter de tudo isso? Tomara que possa dizer em breve! Deve ter adivinhado alguma coisa, porque aquela Anne que ele conhecia até há pouco não lhe agradava, com certeza. Pode ele, que tanto aprecia a calma e a paz, simpatizar com a minha vivacidade e inquietação? Será ele o único no mundo que conseguiu ver o que está por detrás da minha máscara de pedra? Não é a velha regra o amor nascer muitas vezes da compaixão e as duas coisas se confundirem? Será o meu caso? É que tenho tanta pena dele como de mim mesma.

Não sei, palavra que não sei, como vou começar a falar nisso! E, se eu não sei, muito menos ele, que tem tanta dificuldade para se expressar. Se pudesse escrever para ele, saberia o que dizer. Mas falar é muito difícil!

Sua Anne

SEXTA-FEIRA, 17 DE MARÇO DE 1944

Querida Kitty:

Ufa! Pelo anexo passa uma onda de alívio. O Kraler está livre, a Elli não deixou que seu resfriado piorasse e a impedisse de cumprir os seus deveres. Tudo voltou ao normal. Só a Margot e eu estamos um tanto cansadas dos nossos pais. Não me compreenda mal, por favor. Sabe que não me entendo, neste momento, muito bem com a mamãe, mas do papai gosto sempre, e a Margot gosta de ambos. Mas, às vezes, queremos decidir sozinha sobre nossas coisas e nossa vida, e não depender sempre dos outros.

Se vou para cima, perguntam o que vou fazer lá. Não me deixam comer sal nas refeições... Cada livro que quero ler tem de ser primeiro apreciado por eles. Bem sei que a censura não é rigorosa e posso ler quase tudo, mas o que nos aborrece é o controle constante e também as observações e as anotações. Já não sou a criancinha "beijinho aqui, beijinho ali", e acho todos os diminutivos de carinho muito artificiais. Em poucas palavras: durante algum tempo aguentaria bem sem meus pais, sempre cheios de cuidados carinhosos. Ontem a Margot disse:

– É quase ridículo! A gente já nem pode apoiar a cabeça na mão sem que perguntem logo se temos dores de cabeça ou se não nos sentimos bem!

É uma desilusão para nós duas verificarmos que muito pouco resta do nosso convívio familiar tão íntimo. A causa disso é haver entre nós relações um pouco erradas. Com isso quero dizer que eles nos tratam como crianças e não se lembram de que estamos mentalmente mais desenvolvidas do que as outras garotas da nossa idade. Embora eu só tenha catorze anos, sei muito bem o que quero e sei também quem tem razão. Tenho a minha opinião, as minhas concepções, os meus princípios. Já não me sinto criança, sinto-me desapegada seja de quem for. Sei que discuto melhor do que a mamãe, que sou mais objetiva e não tão exagerada, sei que tenho mais ordem nas minhas coisas e que sou mais habilidosa. Pode rir de mim! Em muitas coisas sou superior a ela. Para amar alguém, a primeira condição é poder admirar – admirar e respeitar. Tudo seria melhor se o Peter fosse meu. A ele posso admirar em muitas coisas. É bom rapaz, um rapaz direito!

Sua Anne

DOMINGO, 19 DE MARÇO DE 1944

Querida Kitty:

Ontem foi um dia importante para mim. Tinha resolvido falar abertamente com o Peter. Antes de nos sentarmos à mesa, perguntei-lhe baixinho:

– Vai estudar taquigrafia agora à tarde, Peter?

– Não...

– Quero falar com você.

– Está bem.

Tomei o cuidado de ficar um bom tempo lavando a louça e um pouco com os pais dele. Depois fui ver o Peter. Ele estava do lado esquerdo da janela, eu pus-me à direita. Fala-se melhor na penumbra do que em plena luz. Creio que o Peter é da mesma opinião.

Falamos sobre tantas coisas que não me é possível escrever tudo, mas foi maravilhoso, nunca vivi nada tão maravilhoso desde que entrei nesta casa. Alguma coisa vou reproduzir.

Falamos dos eternos conflitos aqui em casa, que eu agora vejo com olhos diferentes, e do afastamento íntimo dos nossos pais. Contei coisas do meu pai, da minha mãe, da Margot e de mim. De repente, ele me perguntou:

– Vocês se beijam quando dizem "boa-noite" uns aos outros?

– Claro, beijamo-nos muitas vezes. Vocês não?

– Nós não... Poucas vezes dou beijos em alguém.

– E no dia do seu aniversário?

– Ah sim, nesse dia a gente se beija.

Dissemos que era impossível falar sobre os nossos problemas aos pais, e ele confessou que os dele queriam muito ser os seus confidentes, mas que não podiam ser. Contei que choro de noite, na cama, quando tenho desgostos e ele me disse que ia para o sótão praguejar. Também lhe contei que a Margot e eu só agora chegamos a nos conhecer bem, mas que não podemos confiar tudo uma à outra por estarmos próximas demais. E falamos de muito mais coisas e ele era exatamente como eu tinha imaginado.

Depois voltamos a falar de 1942, de como tínhamos sido tão diferentes e que, no começo, não gostávamos um do outro. Ele me achava espevitada e desagradável e eu não encontrava nada nele que me interessasse. Parecia-me incompreensível que ele nem sequer procurasse namorar, mas agora estou contente por isso. Disse que procurava se isolar, e eu expliquei que entre a minha vivacidade e a sua calma quase não havia diferença porque eu desejava tanto o sossego como ele e só encontrava um bocado de paz junto do meu diário. Ele ainda disse ter sido uma felicidade os meus pais virem com as filhas para o anexo, e eu disse-lhe que me sentia feliz por ele estar aqui e que compreendo a sua solidão e as suas relações com os pais e que gostaria de ajudar.

– Mas você sempre me ajuda...

– Eu ajudo como? – perguntei espantada.

– Com a sua alegria.

Foi a coisa mais bonita que ele podia ter me dito. Foi mesmo maravilhoso. Sei agora que me aprecia como boa camarada e, para já, sinto-me satisfeita.

É-me difícil explicar em palavras a minha felicidade e gratidão. E tenho de pedir desculpa, Kitty, por meu estilo não estar hoje à altura. Escrevi tudo conforme me vinha à cabeça. Tenho a sensação de partilhar com o Peter um segredo. Todas as vezes que olha para mim, ri ou pisca os olhos, é como se tudo se iluminasse à minha volta. Tomara que nada se modifique e que ainda possamos passar juntos muitas horas felizes.

Da sua grata e feliz

Anne

SEGUNDA-FEIRA, 20 DE MARÇO DE 1944

Querida Kitty:

Hoje de manhã, o Peter perguntou-me se não vê-lo à tardinha e acrescentou que não o incomodava. Disse que no quarto dele tanto havia lugar para um como para dois. Respondi-lhe que não podia ir todas as tardes porque os outros não achavam bem, mas ele disse que eu não devia me importar com isso. Então prometi ir no sábado e pedi-lhe que me avisasse sempre que houvesse luar.

– Combinado! Quando houver luar, vamos lá para baixo contemplar.

Entretanto, caiu uma sombra sobre a minha felicidade. Já desconfiava havia muito tempo que a Margot também gosta do Peter. Não sei se gosta muito, mas, de qualquer maneira, não me sinto à vontade. Sempre que vou para junto do Peter, causo-lhe um desgosto.

Acho muito delicado da parte dela procurar não mostrar a sua dor. Se fosse eu, ficaria fora de mim de ciúmes. Mas a Margot diz para não ter pena dela.

– Mas não acho agradável que fique assim de fora, como uma terceira pessoa.

– Estou acostumada! – disse ela, um tanto amargurada.

Ainda não tive coragem de contar isso ao Peter. Talvez conte qualquer dia. Por agora, temos de fazer outras confidências.

A mamãe ontem ficou brava. Mereci, pois levei longe demais a minha indiferença com ela. Vou fazer o possível para me dominar. Vou tentar ser amável e não responder torto. O Pim também está menos afetuoso. Para não me tratar como uma criança, cai no extremo oposto: é frio demais. Vamos ver o que sai disso tudo!

“ *Embora eu só tenha catorze anos, sei muito bem o que quero e sei também quem tem razão. Tenho a minha opinião, as minhas concepções, os meus princípios.*

Basta. Quero sempre olhar para o Peter. Uma prova da generosidade da Margot: recebi hoje, 20 de março de 1944, esta carta:

"Anne, quando ontem disse que não tinha ciúmes de você, só fui cinquenta por cento sincera. A verdade é esta: não tenho ciúmes nem de você nem do Peter, mas tenho pena de mim por não ter encontrado ainda ninguém, e não vejo jeito de encontrar por enquanto. Alguém com quem possa falar abertamente sobre o que penso e sinto. Não os invejo por terem confiança um no outro. Isso a compensa um pouco de tudo aquilo de que está privada aqui e que outras garotas têm como coisa natural.

Por outro lado, sei que não teria me aproximado tanto do Peter como você, pois só posso fazer confidências a alguém muito íntimo, a uma pessoa que me compreenda sem ser preciso entrar em grandes pormenores. E esse alguém tinha de ser intelectualmente superior a mim, e não é o caso do Peter. Mas compreendo que vocês dois se entendam muito bem. Por isso não pense que está me roubando qualquer coisa ou que eu fique prejudicada, porque não é assim. Você e o Peter só lucram com esse convívio".

A minha resposta:

"Querida Margot, a sua carta foi muito gentil, mas, mesmo assim, não me sinto apaziguada e não sei se isso alguma vez pôde acontecer.

Não tenho tanta intimidade com o Peter como imagina. Simplesmente sentimo-nos mais à vontade quando falamos ao fim da tarde, junto da janela aberta, do que durante o dia, à luz do sol. É mais fácil murmurar os sentimentos do que dizer em voz alta.

Suponho que sente pelo Peter uma espécie de afeição de irmã e que gostaria de ajudar tal como eu. Talvez ainda venha a ajudá-lo sem que vocês tenham a intimidade que nós sonhamos. A confiança tem de ser recíproca. Julgo que é essa a razão por que não posso me abrir com o papai inteiramente.

Não falemos mais sobre o assunto. Se tiver alguma coisa para dizer, escreva-me. Para mim é mais fácil me expressar por escrito.

Talvez não saiba quanto a admiro. Tomara que eu tenha dentro de mim um pouco da bondade do papai e da sua, pois nisso é que são muito parecidos".

Sua Anne

QUARTA-FEIRA, 22 DE MARÇO DE 1944

Querida Kitty:

Ontem recebi esta carta da Margot:

"Querida Anne:

A sua carta deu-me a impressão de que sente remorsos quando vai ver Peter para trabalhar ou falar com ele. Mas não tem motivos para isso. O Peter não é pessoa que pudesse servir-me de confidente. Tem razão quando diz que o vejo como um irmão, mas... como um irmão mais novo! Dá-me sempre a ideia de que tanto ele como eu estamos estudando um ao outro para verificar se nós, talvez um dia, ou talvez nunca, poderemos conviver como irmãos. Mas por enquanto ainda é cedo. Não tenha pena de mim, por favor. Aproveite a amizade que, felizmente, encontrou".

Entretanto, acho a vida cada vez mais bela. Acredite, Kitty, o velho anexo ainda vai assistir a um verdadeiro grande amor. Não quero saber, por ora, se, mais tarde, casarei com o Peter, porque não sei como ele será quando adulto. Também não sei se depois ainda gostaremos tanto um do outro. Que o Peter agora gosta de mim, já não tenho dúvidas. Mas não sei bem que espécie de amor é o dele. Se ele deseja uma boa camarada ou se gosta de mim como namorada ou como irmã. Ainda não consegui descobrir. Quando me disse, ao falar nas brigas entre os seus pais, que o ajudo muito, fiquei satisfeita e compreendi que a nossa amizade tinha dado um grande passo a frente. Ontem, perguntei-lhe o que faria ele se aqui vivesse uma dúzia de Annes que, a cada passo, fossem falar com ele. Respondeu:

– Se fossem todas como você, não seria nada mau.

Ele me recebe sempre muito bem e percebo que gosta de me ver aparecer. Está estudando francês com mais entusiasmo, até estuda à noite na cama, depois das dez horas. Oh, quando penso no sábado, nas nossas conversas, na delícia de cada momento, sinto-me, pela primeira vez, satisfeita comigo. Não me arrependo de nenhuma das palavras que pronunciei, ao contrário do que acontece quase sempre. Ele é muito bonito quando ri e também quando está calado, e é simpático e bom. A meu ver, deve ter ficado espantado quando viu que não sou a garota mais superficial que existe na Terra, mas sim uma criatura sonhadora como ele e com as mesmas dificuldades a vencer.

Sua Anne

A minha resposta:

"Querida Margot:

Acho que o melhor é deixarmos correr as coisas. Qualquer dia, o Peter e eu havemos de tomar uma decisão, de uma maneira ou de outra. Como isso vai se passar, não sei, mas nessas coisas só costumo pensar na própria ocasião. Uma coisa vou fazer com certeza, caso o Peter e eu selemos definitivamente a nossa amizade: vou contar para ele – e não peço sequer licença para isso – que gosta também dele e que pode contar com você sempre que for preciso. Não sei o que o Peter pensa a seu respeito, mas vou perguntar. Tenho a certeza de que pensa o melhor. Pode ir falar sempre conosco, em qualquer lugar onde estejamos. Nunca nos atrapalhará. E repare, ele e eu chegamos a um acordo sem termos falado, só fazemos confidências ao anoitecer, quando escurece...

Seja corajosa. Eu também o sou. A sua vez vai chegar mais depressa do que imagina."

Sua Anne

QUINTA-FEIRA, 23 DE MARÇO DE 1944

Querida Kitty:

As coisas aqui no anexo vão correndo melhor. O nosso fornecedor "negro" já saiu da prisão. A Miep voltou ontem, a tosse da Elli melhorou, só o Koophuis tem de ficar ainda em casa. Ontem caiu, aqui perto, um avião. Os tripulantes conseguiram saltar, o aparelho despencou sobre uma escola. Felizmente, as crianças não estavam lá. Houve incêndio e também alguns mortos. Os alemães metralharam os paraquedistas. A população ficou indignada com tamanha covardia. Nós, isso é, as mulheres medrosas, nos assustamos muito. Acho que isto de metralhar é nojento.

Vou agora muitas vezes tomar um pouco do ar fresco da noite no quarto do Peter. É bom estar sentada junto dele e olhar através da janela. O sr. Van Daan e o Dussel fazem pouco quando subo.

Dizem: "A segunda pátria da Anne" ou "Não acham que fica mal a um jovem receber damas no seu quarto a estas horas e no escuro?".

O Peter mostra uma indiferença espantosa em face de tais observações. A mãe dele anda também curiosa e quer saber quais são os assuntos das nossas conversas, mas não faz muitas perguntas porque receia uma resposta pouco amável. O Peter disse que os adultos têm é inveja por sermos novos e que se aborrecem por nós não ligarmos para más línguas. Às vezes, vem aqui embaixo me buscar. Apesar de procurar se controlar, fica sempre corado como um tomate e quase não consegue falar. Que sorte tenho eu por não corar com tanta facilidade! Deve ser muito chato.

O papai diz que sou pretensiosa, mas não é verdade. Sou apenas um pouco vaidosa. Até agora ninguém havia me falado que o meu físico era agradável, com exceção de um rapaz da escola que me achava bonita quando eu ria. Mas o Peter fez ontem um autêntico elogio. Vou reproduzir a conversa. Eu andava intrigada por ele repetir tantas vezes:

– Ria mais uma vez!

Perguntei para ele:

– Por que quer que ria tantas vezes?

– Porque fica muito linda. Aparecem covinhas nas faces. Como é que faz isso?

– Já nasci assim. Depois... é a única coisa bonita que tenho.

– Por amor de Deus, isso não é verdade!

– Desculpa contradizer. Sei que não sou bonita. Nunca fui nem serei.

– Não estou de acordo. Acho-a bonita.

– Não é verdade.

– Se eu digo, pode acreditar que é mesmo.

Claro que então disse que o achava também bonito. Todo mundo nos enche os ouvidos falando sobre a nossa amizade. Mas não fazemos caso. As observações são todas bobas. Certos pais se esqueceram do seu tempo da juventude?

Parece que sim. Levam a sério quando dizemos coisas para rir e riem de nós quando falamos a sério.

Sua Anne

SEGUNDA-FEIRA, 27 DE MARÇO DE 1944

Querida Kitty:

Na nossa história da época do esconderijo, a política devia ocupar um capítulo grande, mas, como é um assunto que não me interessa muito, tenho me descuidado de tratar dele. Por isso, vou dedicar esta carta à política.

Que existam as mais diversas maneiras de pensar é coisa evidente, neste tempo de guerra, cheio de confusões; que se discuta constantemente, também é lógico, mas... que as pessoas estejam sempre a se zangar por causa da política, é estupidez. Que apostem, riam, ralhem, que façam o que lhes apeteça. Mas que não se zanguem, pois as consequências são sempre ruins. As pessoas que nos visitam trazem, não raras vezes, notícias que não passam de boatos. A rádio, até agora, tem dito a verdade. O Henk, a Miep, o Koophuis, o Kraler, a Elli, todos relatam os acontecimentos conforme a sua disposição, com todos os altos e baixos. O Henk ainda é o mais sóbrio deles todos.

Aqui no anexo, a disposição em relação à política é mais ou menos sempre a mesma. Nos debates sem fim sobre invasão, bombardeios, discursos de ministros, há opiniões e exclamações: "Impossível!... Por amor de Deus. Quem me dera que já começassem. Quando acabará isto?... Formidável, magnífico, não podia correr melhor...".

Otimistas, pessimistas, e não esqueçamos os realistas... Todos querem impor sua opinião, todos estão convencidos de ter razão. Uma determinada senhora se aborrece porque o marido tem tanta confiança nos ingleses. Por sua vez, o marido ataca a dita senhora por causa das suas expressões satíricas e desdenhosas acerca da nação que ele mais admira. Nunca se cansam de falar nesse assunto. Descobri como a coisa funciona: é exatamente como quando se pica uma pessoa com um alfinete e ela dá um pulo. Uso, às vezes, este truque. Atiro uma palavra sobre política e toda a gente perde logo a cabeça.

Como se as transmissões da Wehrmacht alemã e as da BBC ainda não fossem suficientes, apareceu agora mais outra estação: a Luftlagemeldung. Os ingleses dão notícias da sua força aérea sem interrupção, durante o dia e a noite; os alemães fazem o mesmo para espalharem as suas mentiras. Aqui escutam rádio logo pela manhã e depois, de hora em hora, até as dez da noite. Às vezes até as onze, prova evidente de que os adultos têm uma santa paciência e que, ao mesmo tempo, são lentos de compreensão. (Há exceções, não quero ofender ninguém). Acho que devia bastar uma pessoa ouvir uma ou, quando muito, duas vezes, por dia. O programa dos operários, as emissões de rádio Orange, Frank Philips, ou Sua Majestade, a Rainha – ouve-se tudo. Se não estão comendo ou dormindo, estão sentados perto do rádio falando de comer e de dormir e de política. Que chatice.

Preciso de muito talento para não virar uma velha seca e chata.

Um exemplo eloquente é um discurso de Winston Churchill, a quem todos igualmente admiramos. domingo, nove horas. O chá já está pronto. Os hóspedes aparecem. O Dussel fica à esquerda do rádio, o sr. Van Daan em frente, o Peter ao lado, a mamãe junto do sr. Van Daan, a sra. Van Daan atrás deles, o Pim à mesa, a Margot e eu também. Os homens fumam, o Peter quase adormece de tanto esforço que faz para ouvir tudo.

A mamãe, num roupão comprido e escuro, e a sra. Van Daan tremem por causa dos aviões que, não fazendo caso do discurso, voam sobre a nossa casa a caminho do Ruhr. O papai sorve o seu chá, a Margot e eu estamos unidas pelo Mouschi, que dorme estendido sobre os nossos regaços. A Margot tem rolinhos no cabelo, eu trago um pijama demasiado curto e apertado. Assim encontramo-nos numa intimidade agradável, pacífica.

Já estou vendo o que vai acontecer. Eles começam a ficar impacientes, querem que aquilo acabe. Batem com os pés, ansiosos por discutir sobre o discurso. Kss, Kss, Kss... é assim que se provocam uns aos outros até que tudo acaba em barulho e desarmonia.

Sua Anne

TERÇA-FEIRA, 28 DE MARÇO DE 1944

Querida Kitty:

Podia falar mais ainda sobre a política, mas hoje tenho de contar uma série de outras coisas. A mamãe me proibiu de ir tantas vezes lá para cima porque acha que a sra. Van Daan está com ciúmes. O Peter convidou a Margot para ir também, não sei se fez isso por delicadeza ou se foi sincero. Perguntei ao papai se devo importar-me com os ciúmes da sra. Van Daan. Ele acha que não. E agora? Minha mãe está aborrecida. Ou talvez ciumenta também, quem sabe? O papai não tem inveja dos meus encontros com o Peter, está contente por nos darmos tão bem. A Margot acha o Peter simpático, mas compreende que não se pode falar a três sobre aquilo que é apenas assunto de dois.

A mamãe supõe que o Peter anda apaixonado por mim. Quem me dera que isso fosse verdade. Nesse caso, estaríamos quites e podíamos falar ainda mais abertamente. A mamãe diz que ele não me larga com os olhos. E tem razão. É que nós, de vez em quando, piscamos os olhos e as minhas covinhas agradam muito ao Peter. Mas não há nada a fazer, não é verdade?

Uma situação difícil. A mamãe contra mim, eu contra a mamãe, e o papai a fechar os olhos perante a luta silenciosa que nós duas travamos. A mamãe está triste porque, ao fim e ao cabo, gosta de mim, e eu não estou nada triste porque sinto que ela não me compreende. E o Peter... não quero renunciar ao Peter. É bom rapaz e eu o admiro. Tudo pode vir a ser belo entre nós. Porque é que os adultos querem pôr o nariz nisso? Felizmente me habituei a esconder os meus sentimentos, pois assim consigo não deixar transparecer quanto gosto dele. Ele falará um dia? Virá a sentir a minha face contra a sua como aconteceu no meu sonho com o outro Peter? Ai! O Peter e o Peter são um só, agora.

Os outros não nos compreendem, não concebem que nos basta estarmos juntos sem dizer nada. Não sabem o que nos atrai um para o outro. Quando acabarão essas dificuldades? Mas, pensando bem, talvez seja melhor haver obstáculos a vencer, porque o final será mais belo ainda!

Quando ele deita a cabeça sobre os braços e fecha os olhos, parece uma criança; quando brinca com o Mouschi, é meigo, quando carrega os sacos de batatas ou outros pesos, é forte; quando observa os bombardeios ou segue o rastro dos ladrões na escuridão, é corajoso; mas quando é desajeitado e se sente desamparado, é simplesmente um amor. Gosto mais dele quando me explica coisas do que quando quer aprender comigo. Acharia melhor que ele fosse sempre superior a mim.

Sua Anne

QUARTA-FEIRA, 29 DE MARÇO DE 1944

Querida Kitty:

Ontem o ministro Bolkestein disse na emissora holandesa que, depois da guerra, vão publicar uma série de diários e cartas desta época. Aqui começaram logo a falar no meu diário. E se eu publicasse um romance chamado "O Anexo Secreto"? Não parece interessante? Mas, com esse título, todo mundo é capaz de imaginar que se trata de um romance policial.

Basta de brincadeira, deixe-me falar sério. Não parecerá inconcebível ao mundo, depois da guerra, digamos, dez anos depois, o que nós, os judeus, contarmos sobre a nossa vida aqui, as nossas conversas e as nossas refeições? Pois embora eu tenha lhe contado muita coisa, você ainda só soube uma pequena parcela desta vida.

O senhoras ficam apavoradas quando há bombardeios como os do domingo passado, em que trezentos e cinquenta aviões ingleses lançaram meio milhão de quilos de dinamite sobre Ijmuiden e as casas estremeceram como as folhas com o vento. E o terror das epidemias no país! Disso ainda sabe-se pouco, e precisaria escrever o dia todo se quisesse fazer um relatório completo. A população faz filas para comprar verduras ou seja o que for.

“ Ontem o ministro Bolkestein disse na emissora holandesa que, depois da guerra, vão publicar uma série de diários e cartas desta época. Aqui começaram logo a falar no meu diário.

Médicos não podem visitar seus doentes porque lhes roubaram o automóvel ou a bicicleta. Ouvimos falar de pequenos furtos e de roubos em grande escala. E eu pergunto: O que foi feito da honestidade dos holandeses? Crianças de oito a onze anos quebram os vidros das casas e tiram tudo o que conseguem. Ninguém tem coragem de deixar a casa abandonada durante cinco minutos, pois, ao voltar, pode muito bem encontrá-la vazia. Todos os dias lemos nos jornais anúncios em que prometem gratificações pela entrega de coisas roubadas: máquinas de escrever, tapetes persas, relógios elétricos, tecidos, etc. etc. Relógios das ruas são desmontados e até tiram os telefones das cabines sem deixar ficar um pedaço de fio sequer.

Esperam a invasão e os homens têm de ir para a Alemanha. As crianças estão subalimentadas e doentes. Quase todo mundo usa roupa e calçado de má qualidade.

Uma coisa boa: as sabotagens contra a ocupação aumentam à medida que a alimentação piora e as condições se tornam mais severas. Os funcionários da distribuição de víveres e de outras repartições ajudam, em grande parte, a população, mas também há traidores que levam gente às prisões. Contudo, felizmente, são poucos os holandeses que estão do lado mau.

Sua Anne

SEXTA-FEIRA, 31 DE MARÇO DE 1944

Querida Kitty:

Ainda está muito frio, mas a maioria das famílias não tem mais carvão. Há um grande e geral otimismo porque tudo vai às mil maravilhas na frente russa. Não quero escrever muito sobre política, mas não posso deixar de informar que os russos se encontram em frente ao quartel-general alemão e que estão se aproximando da Romênia pelo Pruth. Estão perto de Odessa. Esperam um comunicado do Stalin em breve.

Em Moscou, ecoam tantas salvas de canhões que o chão estremece. Não sei se eles acham bonito imitar assim o barulho da guerra ou se não conseguem expandir a sua alegria de outra maneira.

A Hungria está ocupada pelos alemães. Vivem nesse país um milhão de judeus que devem sofrer as consequências.

Aqui não aconteceu nada de especial. É aniversário do sr. Van Daan. Ganhou dois maços de cigarro, café para uma xícara (foi a esposa que guardou há muito tempo), um ponche de limão do Kraler, sardinhas da Miep, e, de nós, água-de-colônia, lilases e tulipas e ainda uma torta com framboesas e groselhas que quase se desfazia por causa da farinha e da manteiga de péssima qualidade. Mas o sabor era ótimo.

As más línguas não se preocupam tanto com o Peter e comigo. Nós dois somos bons amigos, estamos muitas vezes juntos e conversamos sobre os mais variados assuntos. Embora falemos também de coisas delicadas, não preciso ter certas reservas como teria de ter com outros rapazes. Por exemplo, um desses dias, veio à baila o tema sangue, falamos também na menstruação.

O Peter acha que nós, as mulheres, somos resistentes. Ah! Ah! Ah! E por quê?

A minha vida aqui melhorou muito. Deus não me abandonou e não vai me abandonar.

Sua Anne

SÁBADO, 1º DE ABRIL DE 1944

Querida Kitty:

Apesar de tudo, as coisas continuam difíceis. Você sabe o que quero dizer? É que queria ser beijada, queria esse beijo que tanto esperamos. Será que o Peter vê em mim alguém mais do que uma boa pessoa? Não significo outra coisa para ele? Você sabe que sou forte, que sei suportar sozinha o meu fardo e que não estou acostumada a pedir ajuda.

Nunca me agarrei à mamãe. Mas agora tenho vontade de encostar a cabeça nos ombros do Peter e de ficar muito quietinha. Não consigo esquecer o sonho em que sentia o rosto do Peter contra o meu. Como isso era bom! E ele, não terá a mesma vontade? É tímido demais para me confessar o seu amor? Mas porque é que me quer sempre ao seu lado? Porque é que não fala? Quero ser calma. Quero ser forte. Com um pouco de paciência, tudo virá. Mas é chato, dá a impressão de que eu ando atrás dele, por ter de ir lá para cima. Não é ele que vem falar comigo. Mas a culpa é da distribuição dos quartos e Tomara que o Peter compreenda bem isso. Oh, ainda tem muito mais coisas que ele tem de compreender!

Sua Anne

SEGUNDA-FEIRA, 3 DE ABRIL DE 1944

Querida Kitty:

Contra o meu costume, vou falar hoje detalhadamente da comida, pois é um problema que não só diz respeito ao nosso anexo, mas a toda a Holanda, à Europa, e talvez ao mundo inteiro.

Nos vinte e um meses em que moramos aqui, já passamos por uma série de ciclos alimentares. Vou explicar o que isso quer dizer. Um ciclo é um período em que comemos sempre o mesmo ingrediente e os mesmos legumes. Durante algum tempo só tínhamos salada, umas vezes com areia, outras vezes sem areia, umas vezes misturada com batatas, outras vezes com as batatas à parte, assadas numa assadeira. Depois veio a fase dos espinafres, depois a da couve, de cenouras, pepinos, tomates, chucrutes, etc, etc. Isso depende da estação do ano. Não é nada agradável comer todos os dias chucrute no almoço e chucrute no jantar, mas, quando temos fome, comemos. Agora chegou o ciclo mais interessante: já não recebemos mais legumes frescos. Nosso menu da semana consiste em feijão vermelho ou sopa de ervilhas secas, batatas com bolinhos de farinha, purê de batata ou, quando Deus quer, alguns nabos ou cenouras meio podres, e depois, de novo, feijão vermelho. Comemos batatas a cada refeição, a começar pelo café da manhã, porque não tem pão suficiente. Para fazer sopas, utilizamos, além dos feijões vermelhos, também os brancos ou batatas, ou então usamos sopas industrializadas: "Sopa Juliana", "Sopa da Rainha" ou "Sopa de Feijão Vermelho". Não há comida nenhuma sem feijão vermelho, nem o próprio pão. À noite, comemos as batatas com um molho de fantasia e um pouco de salada de beterraba das nossas conservas. Também quero falar dos bolinhos de farinha. Fazêmo-los de farinha do "governo" e com água e fermento. Claro que ficam pegajosos e duros, pesam no estômago como pedras. É isso.

O grande acontecimento da semana é uma porção de *foie gras* e um pouco de geleia para pôr no pão. Mas estamos ainda vivos e as nossas refeições leves às vezes nos fazem bem.

Sua Anne

TERÇA-FEIRA, 4 DE ABRIL DE 1944

Querida Kitty:

Durante muito tempo eu nem sabia porque é que estudo. O fim da guerra está ainda tão longe, tão irreal, tão fantástico! Se a guerra não acabar até setembro, não volto para a escola. Não quero ficar dois anos atrasada.

Meus dias são totalmente preenchidos pelo Peter. Os meus pensamentos, os meus sonhos, tudo tem girado em volta do Peter, de tal forma que no sábado sentia-me atordoada. Sentada ao lado dele, tive de fazer um esforço enorme para não chorar e, no entanto, ri com a sra. Van Daan ao fazermos um ponche de limão. Fiquei agitada e parecia estar alegre, mas mal me encontrei sozinha, vi que queria chorar. De camisola, me ajoelhei no chão, rezei muito e depois chorei, a cabeça sobre os braços, acocorada no chão frio. Por fim, voltei a mim, dominei as lágrimas e os soluços para que ninguém me ouvisse. Depois me animei, dizendo repetidas vezes: tem que ser, tem que ser, tem que ser...

Quase quebrada por aquela posição insólita, encostei-me à borda da cama até que, pouco antes das dez e meia, consegui me deitar. Acabou-se. Sim, agora tudo se acabou. Tenho que estudar para não ficar ignorante, para avançar mais tarde na vida, para vir a ser uma jornalista! Sei que sou capaz de escrever bem, alguns dos meus contos são bons, as minhas descrições do anexo têm humor, há passagens eloquentes no meu diário, mas... ainda não provei que tenho, de fato, talento. "O Sonho de Eva" é a minha melhor história, e acho estranho que nem eu mesma saiba explicar onde fui buscar aquilo.

Uma parte de "A Vida de Cady" também não está mal, mas o conjunto não presta.

Sou eu mesma o meu crítico mais severo. Sei o que está bem ou mal escrito. As pessoas que não escrevem não imaginam quanto prazer isso pode dar. Antigamente tinha pena de não saber desenhar. Mas, agora, sinto-me feliz por saber, ao menos, escrever. E se não tiver talento suficiente para escrever livros ou artigos de jornal, enfim, sempre me restará escrever para meu próprio deleite.

Quero vir a ser alguém. Não me agrada a vida que levam a mamãe, a sra. Van Daan e todas essas mulheres que trabalham para, mais tarde, ninguém se lembrar delas. Além de um marido e de filhos, preciso de mais alguma coisa a que possa me dedicar! Quero continuar a viver depois da minha morte. E por isso estou tão grata a Deus que me deu a possibilidade de desenvolver o meu espírito e de poder escrever para exprimir o que em mim vive.

Quando escrevo, sinto um alívio, a minha dor desaparece, a coragem volta. Mas me pergunto: algum dia escreverei coisa importante? Virei a ser jornalista ou escritora? Espero que sim, espero de todo o meu coração! Ao escrever, sei esclarecer tudo, os meus pensamentos, os meus ideais, as minhas fantasias. Não tenho trabalhado em "A Vida de Cady", mas sei como desenvolver a história e só não consigo fazer rapidamente. Pode ser que nunca acabe aquilo e que vá parar no cesto de papel ou no fogão. Não é uma ideia agradável, mas penso: com catorze anos e com tão pouca experiência, ainda não se pode, afinal, escrever uma história filosófica.

Não quero perder a coragem. Tudo tem que dar certo, pois estou decidida a escrever!

Sua Anne

QUINTA-FEIRA, 6 DE ABRIL DE 1944

Querida Kitty:

O que é que mais me interessa e quais são os meus passatempos preferidos? Não são poucas coisas. Em primeiro lugar, gosto de escrever, mas isso não é bem um passatempo.

Em segundo, gosto da genealogia das casas reais. Já encontrei, em jornais, livros e papéis, muito material sobre as famílias francesas, alemãs, espanholas, inglesas, austríacas, russas, norueguesas e holandesas. Consegui bons resultados. Há um bom tempo que faço anotações de todas as biografias e livros de história que leio.

O meu terceiro entretenimento é história, por isso o papai já me comprou alguns livros sobre esse assunto. Tomara que não demore o dia em que possa fazer pesquisas em bibliotecas públicas.

Em quarto lugar, gosto da mitologia grega e romana, e também sobre isso tenho vários livros.

Outros entretenimentos é a coleção de fotografias de estrelas de cinema. Gosto de saber coisas sobre escritores, poetas e pintores, e sobre a história da arte. Pode ser que ainda, um dia, a música venha a juntar-se a tudo isso.

Tenho grande antipatia por álgebra, geometria e toda espécie de contas. Fora isso, gosto de qualquer disciplina da escola, mas coloco história acima de todas.

Sua Anne

TERÇA-FEIRA, 11 DE ABRIL DE 1944

Querida Kitty:

Sinto como que marteladas na cabeça! Nem sei por onde começar. Sexta-feira (Sexta-feira Santa) à tarde, e no sábado também, fizemos vários jogos. Esses dias passaram sem novidade e bem depressa. No domingo, pedi ao Peter que viesse aqui e, mais tarde, subimos e ficamos lá em cima até as seis horas. Das seis e quinze até as sete horas, ouvimos um belo concerto de música de Mozart; do que mais gostei foi da Kleine Nachtmusik. Não consigo escutar bem quando há muita gente à minha volta, porque a boa música me comove profundamente.

Domingo à noite, o Peter e eu fomos ao sótão. Para estarmos sentados confortavelmente, levamos umas almofadas que pusemos em cima de um caixote. O lugar é estreito e estávamos muito apertados um contra o outro. O Mouschi nos fazia companhia. Assim havia quem nos vigiasse.

De repente, às quinze para as nove, o sr. Van Daan assobiou e perguntou se nós tínhamos levado uma almofada do sr. Dussel. Saltamos do caixote e descemos com as almofadas, o gato e o sr. Van Daan. Por causa da almofada do sr. Dussel, desenrolou-se uma verdadeira tragédia. Ele estava furioso por termos levado a sua "almofada da noite". Receou que a enchêssemos de pulgas, fez cenas por causa de uma reles almofada.

Como vingança, o Peter e eu colocamos duas escovas duras na cama. Rimos muito daquele pequeno trote. Mas a diversão não durou muito.

Às nove e meia, o Peter bateu à porta e pediu ao papai que subisse para lhe ensinar uma frase inglesa muito complicada.

– Tem dente de coelho! Ele não está falando a verdade! – eu disse para a Margot.

E eu estava certa. Havia ladrões no armazém. Com rapidez, o papai, o Peter, o sr. Van Daan e o Dussel desceram. A mãe, a Margot, a sra. Van Daan e eu ficamos à espera. Quatro mulheres cheias de medo não podem fazer outra coisa a não ser falar. Assim fizemos.

De repente, ouvimos, lá embaixo, uma pancada forte. Depois, silêncio. O relógio deu quinze para as dez. Estávamos lívidas, muito quietas e cheias de medo. O que foi feito dos homens? O que é que significava aquela pancada? Haverá luta entre eles e os ladrões? Dez horas. Passos na escada. Entra primeiro o papai, pálido e nervoso, depois o sr. Van Daan.

– Apaguem a luz. Subam sem fazer barulho. Deve vir a polícia.

Agora não havia tempo para medos. Apagamos a luz. Ainda peguei o meu casaquinho e subimos.

– O que aconteceu? Depressa, conte!

Mas não havia ninguém que pudesse contar, porque os homens tinham descido outra vez. Às dez e dez, voltaram. Dois ficaram de guarda na janela aberta, no quarto do Peter. A porta do corredor ficou fechada. A porta giratória também. Colocamos um pano sobre o lustre. Depois eles começaram a contar.

O Peter, ao ouvir duas pancadas fortes, correu para abaixo e viu que, do lado esquerdo da porta do armazém, faltava uma tábua. Voltou depressa para cima, avisou a parte mais corajosa do grupo e então eles, os quatro, desceram.

Quando entraram no armazém, pegaram os ladrões em flagrante. Sem refletir, o sr. Van Daan gritou: "Polícia!".

Os ladrões fugiram num instante. Para evitar que a ronda da polícia notasse o buraco, os nossos homens colocaram a tábua no lugar, mas um pontapé de lá de fora a derrubou. Os quatro ficaram perplexos com tanto atrevimento. O sr. Van Daan e o Peter sentiram vontade de matar aqueles patifes. O sr. Van Daan bateu com o machado no chão. Depois, novamente silêncio. Tentaram colocar outra vez a tábua. Novo susto: lá fora estava um casal e a luz forte de uma lanterna manual iluminou todo o armazém.

"Diabo!", gritou um dos nossos e num instante trocaram o seu papel de polícia pelo de ladrões.

Fugiram. Subiram. O Peter abriu portas e janelas na cozinha do escritório particular, jogou o telefone no chão e depois desapareceram todos por detrás da porta giratória.

Fim da primeira parte.

Provavelmente, o casal avisaria a polícia. Era domingo, domingo de Páscoa, e ninguém viria ao escritório antes de terça-feira de manhã. Não podíamos fazer nada. Imagine duas noites e um dia com tal angústia! Nós, as mulheres, é que já não éramos capazes de imaginar coisa alguma. Estávamos sentadas

Assalto: a polícia entrou em casa, chegou à porta giratória, mas não foi mais longe. Ladrões, provavelmente apanhados em flagrante, arrombaram a porta do armazém e fugiram pelo quintal. Porta principal trancada. O Kraler deve ter saído pela outra porta. As máquinas de escrever estão em segurança na caixa preta, no escritório particular.

Tentar avisar o Henk. Ir buscar a chave na casa da Elli. Ele que venha ao escritório com o pretexto de que o gato precisa de comida.

Tudo se fez tal qual. Telefonaram para Koophuis, levamos as máquinas para baixo e guardamos na caixa preta. Sentamos em volta da mesa e esperamos pelo Henk ou... pela polícia.

O Peter adormeceu. O sr. Van Daan e eu acabamos por deitar no chão. Depois, ouvimos passos pesados. Eu disse em voz baixa:

– É o Henk.

– Não, não, é a polícia. – ouvi alguém dizer.

Bateram à porta. O assobio da Miep. Agora é que a sra. Van Daan não aguentou mais. Branca como a cal, sem forças, estava caída na cadeira, e, se aquela tensão tivesse se prolongado por mais um minuto, ela teria desmaiado.

Quando a Miep e o Henk entraram no nosso quarto, viram um lindo espetáculo. A mesa valia a pena ser fotografada. A revista "Filme e Teatro" aberta e as fotos das lindas estrelas do bailado besuntadas com geleia e com o remédio contra a diarreia. Dois frascos de geleia, um pão e meio, espelho, pente, fósforos, cinza, cigarros, cinzeiro, calcinhas, lanterna de bolso, papel higiênico, etc, etc.

Recebemos o Henk e a Miep com júbilo e lágrimas. O Henk tapou o buraco da porta com a tábua e depois foi à polícia para comunicar o assalto. A Miep encontrou debaixo da porta um aviso do guarda-noturno que viu o buraco e avisou a polícia. O Henk foi também falar com ele.

Tínhamos meia hora para nos arrumarmos. Nunca vi uma tal metamorfose em tão pouco tempo. A Margot e eu abrimos as camas, fomos ao w.c., nos lavamos, escovamos os dentes e nos penteamos. Depois, num instante, arrumamos o quarto e voltamos para cima. A mesa já estava limpa. Fomos buscar água, fizemos café e chá e pusemos a mesa para o café da manhã. O papai e o Peter limparam o cesto sujo com água e cloro. Às onze horas, já nos encontrávamos todos com o Henk em volta da mesa e nos acalmamos pouco a pouco. O Henk contou:

– O guarda-noturno Slagter ainda estava dormindo. Falei com sua mulher e ela me disse que o marido, ao fazer a ronda nos cais, tinha reparado no buraco na nossa porta da rua. Foi procurar um policial e, juntos, rebuscaram a casa de cima a baixo. Na terça-feira, viria fazer mais comunicações ao Kraler. Foi à polícia, onde ainda não sabiam nada do assalto, mas tomaram nota e disseram que viriam aqui também na terça-feira.

No regresso, o Henk passou pela quitanda, na esquina, e contou sobre o roubo. O homem falou:

– Eu sei! Passei ontem à noite com minha mulher pelo seu estabelecimento e vi o tal buraco na porta. Minha mulher não quis parar, mas eu acendi a minha lanterna e iluminei o interior. Os ladrões fugiram logo. Não chamei a polícia, pensei que seria melhor. Não sei nada, mas imagino algumas coisas...

O Henk agradeceu e foi-se embora. O quitandeiro deve suspeitar que estamos aqui, pois entrega as batatas sempre na hora do almoço. Depois do Henk ter ido embora, nos deitamos para dormir. Às quinze para as três, acordei e já não vi o Dussel na sua cama. Ainda toda entorpecida, encontrei, por acaso, o Peter no quarto de banho. Combinamos encontrar-nos depois, embaixo, no escritório.

– Ainda tem coragem de subir ao sótão? – perguntou.

Disse que sim, fui buscar a minha almofada e subimos. O tempo estava uma maravilha. Em breve as sirenes começaram a dar alarme. Mas nós ficamos onde estávamos. O Peter colocou um braço em volta dos meus ombros e eu também pus um braço em volta dos seus ombros, e assim ficamos muito calmos, até que a Margot veio nos chamar para o lanche.

Comemos pão, tomamos limonada e já estávamos de novo dispostos a dizer brincadeiras uns aos outros. Depois disso não houve mais nada de especial. À noite, agradeci ao Peter por ele ter sido o mais corajoso de todos nós.

Nunca nenhum de nós tinha passado por uma situação tão perigosa como a da noite passada. Deus nos protegeu. Imagine a polícia a remexer a estante da nossa porta giratória, iluminada pela luz acesa, sem nos ver!

Em caso de invasão, com bombardeios e tudo, cada um de nós pode responder por si próprio. Nesse caso, porém, não se tratava só de nós, mas também dos nossos bondosos protetores.

– Estamos salvos. Não nos abandonem!

É apenas isso que podemos suplicar. Esse acontecimento trouxe algumas modificações. O sr. Dussel já não trabalha à noite no escritório do Kraler, mas, sim no quarto de banho. Às oito e meia e às nove e meia, o Peter faz a ronda pela casa. Não podemos mais abrir a janela durante a noite. Depois das nove e meia, não podemos dar a descarga do w.c.

Hoje à noite, vem um carpinteiro reforçar as portas do armazém. Há polêmica a respeito. Tem quem ache que não devia mandar fazer isso. O Kraler censurou a nossa imprudência e o Henk disse que não devíamos, em tais casos, descer ao andar de baixo.

Nos Mostraram-nos bem que somos clandestinos, judeus enclausurados, presos num lugar, sem direitos, mas carregados de milhares de deveres. Nós, judeus, não devemos nos deixar arrastar pelos sentimentos, temos de ser corajosos e fortes e aceitar o nosso destino sem queixas, temos de cumprir tudo quanto possível e ter confiança em Deus. Vai chegar o dia em que esta guerra medonha acabará, vai chegar o dia em que nós voltaremos a ser gente como os outros e não apenas judeus.

Quem foi que nos impôs esse destino? Quem decidiu excluir desse modo os judeus do convívio dos outros povos? Quem nos fez sofrer tanto até agora? Foi Deus que nos trouxe o sofrimento e será Deus que nos libertará. Se, apesar de tudo isso que suportamos, ainda sobreviverem judeus, estes servirão a todos os condenados como exemplo.

Quem sabe, talvez venha ainda o dia em que o mundo veja o bem através da nossa fé, e talvez seja por isso que temos de sofrer tanto. Nunca poderemos ser só holandeses, ingleses ou súditos de qualquer outro país. Seremos sempre, além disso, judeus. E queremos ser. Não vamos perder a coragem. Temos de ter consciência da nossa missão. Não vamos nos queixar, que o dia da nossa salvação vai chegar. Nunca Deus abandonou o nosso povo. Através de todos os séculos, os judeus sobreviveram. Através de todos os séculos, houve sempre judeus sofrendo, mas através de todos os séculos, se mantiveram fortes. Os fracos desaparecem, mas os fortes sobrevivem e não morrerão!

Naquela noite pensei que fosse morrer. Esperava pela polícia, estava preparada como os soldados no campo de batalha, prestes a me sacrificar pela pátria. Agora que estou salva, o meu desejo é me naturalizar holandesa depois da guerra.

Gosto dos holandeses, gosto desta terra e da sua língua. É aqui que quero trabalhar. E, se for preciso escrever à própria rainha, não desistirei enquanto não alcançar este, objetivo.

Sinto-me cada vez mais independente dos meus pais. Embora seja muito nova ainda, sei que tenho mais coragem de viver e um sentido de justiça mais apurado, mais seguro do que a mamãe. Sei o que quero, tenho um objetivo, uma opinião, tenho fé e amor. Deixem-me ser eu mesma e estarei satisfeita. Tenho consciência de ser mulher, uma mulher com força interior e com muita coragem.

Se Deus me deixar viver, hei de ir mais longe que a mamãe. Não quero ficar insignificante. Quero conquistar o meu lugar no mundo e trabalhar para a humanidade.

O que sei é que a coragem e a alegria são os fatores mais importantes na vida! E não sei explicar por quê. Escrevi tudo num caos, tem coisas sem sentido, e cada vez mais duvido que um dia haja alguém interessado nos disparates que escrevo.

"As Confidências de um Patinho Feio" será o título desta papelada. O sr. Bolkestein e o sr. Gerbrandy, os colecionadores de documentos de guerra, não encontrarão nada de especial no meu diário.

Sua Anne

SEXTA-FEIRA, 14 DE ABRIL DE 1944

Querida Kitty:

A atmosfera está ainda tensa. O Pim está muito irritável. A sra. Van Daan está deitada com um resfriado e faz cenas. O marido está pálido e não tem cigarros que o animem. O Dussel, depois de ter resolvido sacrificar uma parte das suas comodidades, anda descontente.

Há muita coisa que não funciona. Tem vazamento no w.c. e a torneira está emperrada. Mas, graças às nossas muitas relações, esses males vão se remediar depressa.

Há ocasiões em que estou sentimental, sei bem, mas... Às vezes, há razões para o sentimentalismo. Quando o Peter e eu estamos sentados num caixote duro, no meio de ferros-velhos e de pó, muito juntos, eu com um braço em volta dos seus ombros, ele com um braço em volta dos meus ombros, quando ele brinca com uma madeixa do meu cabelo, quando lá fora se ouve o chilrear dos pássaros, quando se veem as árvores a pintarem de verde, quando o sol nos chama e o ar é todo ele azul! Oh, então os meus desejos são infinitos.

Mas aqui só vemos caras carrancudas e descontentes. Suspiros e queixumes por toda parte. Tudo isso dá a impressão de que as coisas estão cada vez piores. A verdade, no entanto, é que tudo corre sempre mal se não soubermos reagir. Não há ninguém no anexo que nos sirva de exemplo, cada um luta sozinho com os seus nervos. Só se ouve dizer:

– Quem me dera que isto acabasse!

Para mim, os estudos, a esperança, o amor e a coragem me fazem aguentar. Até me tornam boa e feliz.

Creio, Kitty, que estou um pouco maluquinha hoje.

Sua Anne

SÁBADO, 15 DE ABRIL DE 1944

Querida Kitty:

Depois de um susto vem outro. Quando é que isso terá fim? É essa a nossa eterna pergunta. Você não imagina o que aconteceu agora! O Peter se esqueceu de abrir o ferrolho da porta principal (à noite, a porta tranca-se por dentro) e a fechadura da outra porta está estragada. Consequentemente, o Kraler não conseguiu entrar com os operários. Teve de pedir aos vizinhos para o deixarem entrar, quebrou depois a janela da cozinha e saltou para dentro. Está furioso por causa do nosso descuido. O Peter anda desolado. Quando a minha mãe lhe disse à mesa que tinha pena dele, pouco faltou para que desatasse a chorar. Mas, na verdade, temos todos culpa, porque os senhores costumam perguntar todas as manhãs se o Peter abriu o ferrolho, e, justo hoje, não perguntaram. Tomara que eu possa dar logo algum conforto. Quero tanto ajudar!

E agora algumas notícias sobre vários acontecimentos no anexo durante as últimas semanas.

Há uma semana, o Boche ficou doente. Não se mexia. A Miep, sempre decidida, embrulhou-o num pano, meteu-o no seu saco das compras e levou-o à clínica veterinária. O veterinário enfiou-lhe um remédio pela goela abaixo, pois supunha que o bicho tinha uma infecção nos intestinos. Depois disso, o Boche passeia lá fora, dia e noite. Deve ter arrumado uma namorada.

A janela do sótão já fica outra vez aberta durante a noite. Quando escurece, o Peter e eu estamos quase sempre lá em cima.

Com o auxílio de Koophuis e com um pouco de tinta de óleo, o w.c. foi consertado. A torneira foi substituída por outra. Este mês recebemos oito cartões de racionamento. O nosso mais recente petisco chama-se picles. Se a gente tem pouca sorte, só encontra alguns pepinos com molho de mostarda no frasco. Legumes já não há quase nenhum. Só salada e sempre salada. De resto, só comemos batatas com molho artificial.

Muitos e grandes bombardeios. A Câmara de Haia foi destruída e com ela muitos documentos. Diz-se que todos os holandeses receberão novos cartões de identidade.

Chega por hoje.

Sua Anne

“ A janela do sótão já fica outra vez aberta durante a noite. Quando escurece, o Peter e eu estamos quase sempre lá em cima.

DOMINGO DE MANHÃ POUCO ANTES DAS 11 HORAS, 16 DE ABRIL DE 1944

Querida Kitty:

Peço que nunca se esqueça do dia de ontem, por ser um dia muito importante na minha vida. Ou não é importante para uma garota receber o seu primeiro beijo? E eu não sou diferente das outras. O beijo que o Bram me deu uma vez na face direita não conta, e o beijo na mão de Mr. Walker também não. Agora você vai ouvir como recebi um beijo.

Ontem, às oito horas, estávamos, o Peter e eu, no quarto dele, sentados no sofá. Disse para ele:

– Se você chegasse um pouco para lá, eu não bateria a cabeça na estante.

Ele recuou quase até o cantinho. Passei-lhe o braço em volta da cintura e ele me abraçou. Já tínhamos estado assim muitas vezes, mas talvez não tão próximos um do outro. Apertou-me com força, o meu peito estava contra o seu e o meu coração batia cada vez mais depressa. Mas não é tudo. Ele não descansou enquanto não deitei a cabeça no seu ombro e depois inclinou ele a cabeça sobre a minha. Quando, passados cinco minutos, ia me endireitar, tomou-me a cabeça entre as mãos e apertou-me, de novo, contra ele. Oh, foi maravilhoso! Eu não consegui falar, só pude viver o momento. Um pouco desajeitado, acariciou-me a cara e o braço, brincou com os meus caracóis e assim permanecemos com as cabeças muito juntas. Não posso descrever a minha emoção. Eu estava tão feliz! E creio que o Peter também.

Às oito e meia, nos levantamos e ele calçou as sapatilhas de ginástica para fazer a ronda pela casa com o menor ruído possível. Eu estava ao seu lado. Não sei dizer exatamente como aquilo aconteceu, mas, ao descermos, ele beijou-me o cabelo, muito junto da orelha esquerda. Corri para baixo sem me virar e... e só queria que a noite chegasse mais depressa.

Sua Anne

SEGUNDA-FEIRA, 17 DE ABRIL DE 1944

Querida Kitty:

O que você pensa? O papai e a mamãe achariam bom se soubessem que eu estou sentada com um rapaz no sofá e que nos beijamos? Um rapaz de dezessete anos e uma garota que vai fazer quinze? Não devem achar bom, creio, mas afinal aquilo só diz respeito a mim. Sinto-me calma e segura, sonhando nos seus braços, e é tão excitante sentir a cara dele contra a minha, é tão delicioso saber que alguém nos espera!

Mas... tem um mas. Ele se contentará com isso? Não me esqueci da sua promessa, mas... sempre é um rapaz!

Sei que estou começando cedo. Ainda não fiz os quinze e já sou tão independente! Ninguém provavelmente sabe compreender. Tenho quase a certeza de que a Margot seria incapaz de beijar um rapaz sem que se falasse logo de noivado e de casamento. Mas o Peter e eu não fazemos planos. Calculo que a mamãe também não se deixou tocar por ninguém antes de conhecer o papai. O que diriam as minhas amigas se me vissem nos braços do Peter, com o meu coração contra o seu peito, a cabeça nos seus ombros, e a sua cabeça em cima da minha?

Oh! Anne, que vergonha!

Mas, com toda a franqueza! Não acho que isso seja uma vergonha. Vivemos aqui isolados do mundo, cheios de medo e de angústia, principalmente nos últimos tempos. Porque é que nós, que nos amamos, temos de nos afastar um do outro? Porque é que temos de esperar até ter uma idade conveniente? E por que temos que fazer tais perguntas?

Vou saber tomar conta de mim. O Peter nunca me causará aflições ou dores. Por que não vou fazer o que o meu coração me dita e o que nos torna felizes? Mas... creio que você está pressentindo que lido com certas dúvidas, dúvidas estas que provêm da luta entre a minha fraqueza e o ter de fazer coisas escondidas. Você acha que tenho a obrigação de contar tudo ao papai? Acha que devemos partilhar o nosso segredo com alguém? Receio que muita coisa sutil venha a se perder. E ficaria eu mais calma intimamente? Vou falar com "ele" sobre o assunto.

Sim, tenho de falar com "ele" sobre muitas coisas, porque passar o tempo só trocando carinhos não faz sentido. É preciso uma grande confiança para dizermos tudo um ao outro, mas a consciência de possuirmos essa confiança mútua nos dará força a ambos.

Sua Anne

TERÇA-FEIRA, 18 DE ABRIL DE 1944

Querida Kitty:

Tudo vai bem. O papai disse que espera grandiosas operações ainda antes de 20 de maio, tanto na Rússia e na Itália como no Ocidente. Quanto mais as coisas estão demorando, menos consigo imaginar a nossa libertação.

Finalmente, ontem o Peter e eu falamos sobre aquilo que andávamos a adiar havia dez dias. Expliquei-lhe todos os segredos de uma garota e não me acanhei de falar nas coisas mais íntimas. A noite acabou com uma troca de beijos muito perto da boca. É uma sensação maravilhosa.

Talvez eu leve para cima o meu livro de anotações. Assim podemos aprofundar juntos as coisas bonitas. Não me dá satisfação estarmos só abraçados. Tomara que ele pense como eu.

Depois de um inverno irregular, veio uma primavera incrível, um abril magnífico, nem quente nem frio, e só de vez em quando uma chuva. O nosso castanheiro já está verde e vemos, aqui e acolá, nascerem-lhe pequenas flores. No sábado, a Elli nos deu uma grande alegria. Trouxe flores: três ramalhetes de narcisos, e, para mim, jacintos azuis.

Tenho que estudar álgebra, Kitty. Adeus.

Sua Anne

QUARTA-FEIRA, 19 DE ABRIL, DE 1944

Querida Kitty:

O que poderá haver de mais belo no mundo do que olhar a natureza pela janela aberta, do que ouvir cantar os pássaros, sentir o sol no rosto e ter nos braços um rapaz muito querido? O silêncio nos faz tão bem! Oh! Se ninguém nunca o interrompesse, nem mesmo o Mouschi!

Sua Anne

SEXTA-FEIRA, 21 DE ABRIL DE 1944

Querida Kitty:

Ontem à tarde, fiquei de cama com dor de garganta, mas, como não estou mais com febre, hoje me levantei. É o 18° aniversário de Sua Alteza Real, a princesa Elizabeth de York. Diz a BBC que não será declarada ainda sua maioridade, embora seja esse o costume com os filhos das casas reais. Nos perguntamos com que príncipe se casará essa beldade, mas não encontramos nenhum que lhe sirva. Talvez sua irmã, a princesa Margaret, se case com o príncipe Balduíno, da Bélgica.

Mal foram reforçadas as portas da rua, e tornou a aparecer o homem do depósito. É bem provável que tenha sido ele o ladrão da farinha de batata e queira pôr a culpa em cima da Elli. O anexo secreto em peso está de novo em rebuliço. Elli está louca da vida, de raiva.

Quero mandar uma de minhas histórias para um jornal, para ver se a aceitam, sob pseudônimo, é claro.

Sua Anne

TERÇA-FEIRA, 25 DE ABRIL DE 1944

Querida Kitty:

Há dez dias que o Dussel não fala com o sr. Van Daan, só porque, depois do roubo, tivemos que incluir algumas medidas novas que não lhe agradam. Disse que o sr. Van Daan gritou com ele. Disse para mim:

– Tudo se faz aqui sem me consultarem. Vou falar a esse respeito com o seu pai.

Ele não devia trabalhar nem no sábado à tarde nem no domingo lá embaixo no escritório. Mas ele não cumpriu a recomendação e foi para lá. O sr. Van Daan ficou zangado e o papai foi para baixo para falar com o Dussel. Claro, lá ele inventou qualquer desculpa. Mas dessa vez nem o papai se deixou convencer. Agora o papai quase não lhe fala por ele o ter ofendido. Não sabemos o que se passou, mas deve ter sido coisa grave.

Escrevi uma história bonita, chama-se "Blurry, o descobridor do mundo". Agradou bem os meus três leitores. Ainda estou muito resfriada e contagiei a Margot, o papai e a mamãe. Tomara que não aconteça o mesmo com o Peter.

Sua Anne

QUINTA-FEIRA, 27 DE ABRIL DE 1944

Querida Kitty:

Hoje de manhã, a sra. Van Daan estava de muito mau humor. Só se lamentava: por estar resfriada e por não haver gotas que ajudassem a aguentar melhor as dores no nariz. Depois, por não haver nem sol e por não se poder olhar um pouco pela janela, etc, etc. Foi difícil manter um ar sério. Rimos dela, e como, afinal, tudo aquilo não era uma grande tragédia, ela acabou por rir também.

Leio agora "O Imperador Carlos V", escrito por um professor de Göttingen que trabalhou quarenta anos nessa obra. Em cinco dias, li cinquenta páginas; é difícil ler mais. O livro tem 598 páginas. Agora pode fazer as contas do tempo que levará a leitura e, depois, falta ainda a segunda parte! Mas é muito interessante!

O que uma garota estuda normalmente na escola não se pode comparar à tarefa que eu cumpro. Hoje traduzi, do holandês para o inglês, um pedaço da última batalha de Nelson. Depois estudei A Guerra Nórdica (1700-1721), Pedro, o Grande, Carlos XII, Augusto, o Forte, Stanislaus Leczinsky, Mazeppa, Brandemburgo, Pomerânia e Dinamarca – com todos os dados correspondentes. Depois li sobre o Brasil: o tabaco da Bahia, a abundância de café, o milhão e meio de habitantes do Rio de Janeiro, Pernambuco e São Paulo, o rio Amazonas. Fiquei sabendo coisas dos negros, dos brancos, das mulheres, dos mulatos, dos mestiços; soube também que ainda vivem por lá cinquenta por cento de analfabetos e que há malária. Como ainda me sobrava um pouco de tempo, peguei na minha árvore genealógica: Jan, o Velho, Guilherme Luís, Ernst Casimir, Henrique Casimir I, até a pequena Margriet Franciska que nasceu em 1929, em Otawa. Meio-dia: continuo a estudar, no sótão, o programa sobre as catedrais... ufa! Até a uma hora.

Às duas horas, a pobre garota (hum, hum!) já estava de novo estudando. Macacos com focinho achatado e macacos com focinho aguçado. Kitty, você capaz de me dizer quantos dedos no pé tem o hipopótamo? Depois seguiu-se a Bíblia, a Arca de Noé, Sem, Cam e Jafé; depois Carlos V. Por fim, inglês com o Peter: O Coronel de Thackeray, vocábulos franceses, e comparar o Mississipi ao Missouri. Chega por hoje.

Sua Anne

SEXTA-FEIRA, 28 DE ABRIL DE 1944

Querida Kitty:

Nunca pude esquecer meu sonho com o Peter Wessel. Ainda hoje, ao lembrar, senti a face do Peter contra a minha, essa sensação que tanto me maravilhou. Com o Peter daqui, experimentava a mesma sensação, sim, mas nunca tão forte até... ontem, ao anoitecer, quando estávamos, como de costume, abraçados no sofá. De repente, a Anne de todos os dias transformou-se numa outra Anne, naquela que não é divertida nem travessa, mas que quer ser terna e afável.

Estava muito junto dele e a comoção tomou conta de mim. As lágrimas vieram-me aos olhos, caíram-me cara abaixo e molharam a camisa dele. Terá notado? Nem o mais leve movimento o traiu. Sente ele o mesmo que eu? Quase não falava. Saberá que convive com duas Annes diferentes? Tantas perguntas!

Às oito e meia, fui à janela onde costumamos nos despedir. Eu tremia, ainda era a Anne número 2. Ele foi falar comigo, eu pus os braços no pescoço e beijei-lhe a face esquerda. Quando lhe quis beijar a outra, as nossas bocas se encontraram. Zonzos, nos apertamos um contra o outro, uma vez e outra vez, para nunca mais acabar!

Peter precisa de carinho. Pela primeira vez na vida, descobriu uma garota e, pela primeira vez, compreendeu que essas chatas têm também um coração e que são muito diferentes quando se está sozinho com elas. Pela primeira vez na vida, fez amizade e se entregou a alguém. Nunca antes tinha tido um amigo ou uma amiga. Agora nos encontramos. Eu também não o conhecia, nunca tinha tido um confidente, e agora tudo isso se realizou.

Mas uma pergunta me tortura:

– Isso está certo? Procedo bem em ser tão liberal, tão apaixonada, tão impulsiva e cheia de desejos, tal como o Peter? Está certo uma garota não conseguir se controlar?

Só há uma resposta: sentia dentro de mim profunda ânsia, sentia-me só, e agora encontrei apoio e alegria.

Na parte da manhã e durante o dia, Peter e eu somos as pessoas de sempre. Mas ao anoitecer, não podemos conter o desejo, a felicidade e a alegria de nos encontrarmos. Então, somos um do outro. Todas as noites, depois do último beijo, queria fugir, desaparecer, não ver mais aqueles olhos, estar longe, longe, longe, totalmente só na escuridão!

Mas depois de ter descido os catorze degraus, onde é que me encontro? Na luz crua da sala, entre vozes e risos. Faço de tudo para que ninguém note em mim qualquer coisa. O meu coração ainda está impressionado demais para esquecer um acontecimento como o de ontem à noite. A meiguice e a brandura talvez sejam qualidades raras na Anne mas, mesmo assim, não se deixam afugentar de um instante para o outro. O Peter atingiu-me como nunca nada me atingiu, a não ser o meu sonho. O Peter revolveu o meu íntimo, chamou-o à superfície. E não é natural que qualquer pessoa no meu caso necessite reencontrar o sossego para tranquilizar de novo o seu íntimo? Oh, Peter, o que fez comigo? O que quer de mim? Onde vamos parar? Só agora compreendo a Elli. Agora que vivo essas coisas, compreendo as dúvidas dela. Se ele fosse mais velho e quisesse se casar comigo, o que responderia? Seja franca, Anne! Não seria capaz de se casar com ele, mas também não teria coragem de largar! O caráter do Peter ainda não alcançou a harmonia interior. O Peter tem pouca energia, pouca força de vontade e pouca força moral. Ainda é uma criança, intimamente não tem mais idade do que eu; o que ele procura, antes de mais nada, é a calma e a felicidade.

E eu? Tenho, de fato, só catorze anos? Não passo de uma garotinha estúpida? Não tenho ainda experiência nenhuma? Tenho experiência, sim, senhora, tenho mais experiência do que os outros porque vivi coisas que pouca gente da minha idade viveu. Tenho medo de mim própria, tenho medo de que o meu desejo me arrebate, e então o que será de mim mais tarde, quando conviver com outros rapazes? Oh, como tudo isto é difícil! Sempre a luta entre o coração e o juízo. Cada um deles fala no momento próprio, mas como vou saber quais são os momentos próprios?

Sua Anne

TERÇA-FEIRA, 2 DE MAIO DE 1944

Querida Kitty:

No sábado, à noite, perguntei ao Peter se achava que devia dizer ao papai o que se passa entre nós. Depois de refletir um pouco, ele achou que sim. Estou contente por isso, pois prova a pureza dos seus sentimentos. Logo depois de eu ter descido, fui buscar água com o papai, e já na escada falei para ele:

– Papai, deve saber que o Peter e eu, quando estamos juntos, não ficamos sentados a um metro de distância um do outro. Acha ruim?

Ele não me respondeu imediatamente. Depois disse:

– Não, não acho ruim, Anne, mas aqui, onde o espaço é tão restrito, deve ter mais cuidado...

Disse mais algumas coisas no mesmo sentido e depois subimos. No domingo de manhã, me chamou para dizer:

– Anne, pensei naquilo que me disse (comecei a ter medo). Pensando bem, isso não fica bem aqui no anexo! Pensava que vocês fossem só bons amigos. O Peter está apaixonado por você?

– Não, não é isso... – disse eu.

– Sabe, Anne, eu compreendo vocês muito bem, mas acho que deve manter um pouco de distância, não deve encorajá-lo demais. Não devia ir tantas vezes lá em cima. Nessas coisas, o homem é a parte ativa... A mulher deve procurar contê-lo. Lá fora, quando estamos em liberdade, todas essas coisas são diferentes. Pode conviver com outros rapazes e garotas, pode dar passeios, praticar esporte e outras coisas do gênero. Mas aqui, sempre juntos, se um dia não der certo, tudo se tornará complicado. Vocês se veem a cada passo, praticamente a todos os momentos. Seja prudente, Anne, e não se apegue tanto. Não o leve tão a sério.

– Não estou me apegando demais, papai, e o Peter é correto, é muito bom rapaz.

– Sim, é bom rapaz, mas não tem um caráter formado e ainda pode se deixar influenciar para o bem ou para o mal...

Ainda conversamos um pouco e depois combinamos que o papai fosse falar com ele também. No domingo à tarde, quando eu estava lá em cima, o Peter perguntou:

– Então, falou com seu pai, Anne?

– Falei, vou lhe contar tudo. Ele não acha ruim nós dois estarmos tão juntos um do outro, mas pensa que isso pode dar problemas.

– Já combinamos que nunca iremos nos desentender e estou decidido a cumprir.

– Eu também, Peter, mas o papai tinha imaginado que éramos apenas bons amigos. Acha que não podemos mais ser bons amigos?

– Por que não? O que acha?

– Parece que podemos. Eu disse ao papai que confio em você. E é verdade, Peter. Tenho tanta confiança em você como no papai, e penso que você merece, não é verdade?

– Espero que sim.

Ele corou e ficou atrapalhado.

– Acredito em você, Peter, creio que tem um bom caráter e que fará sucesso na vida.

Falamos ainda de várias coisas e eu depois disse:

– Quando sair daqui, já sei que não vai ligar para mim.

Ele disse exaltado:

– Não diga isso, Anne! Oh, não! Não tem direito de me julgar assim.

Depois, chamaram-me.

Na segunda-feira, contou-me que o papai falou com ele.

– Seu pai pensa que a nossa amizade pode acabar em namoro, e eu respondi que pode ter confiança em nós.

O papai não quer que eu vá tantas vezes lá para cima, mas não estou de acordo. Não só porque gosto de estar com o Peter, mas também porque disse que tenho confiança nele. E já que tenho essa confiança, quero provar. E eu não teria essa prova se manifestasse desconfiança, ficando aqui embaixo. Eu vou sim!

Entretanto, o drama Dussel acabou. No sábado, ao jantar, pediu desculpas num discurso bem estudado, em holandês. O sr. Van Daan ficou logo derretido. Julgo que o Dussel levou o dia inteiro ensaiando a aula. O aniversário dele, no domingo, correu tranquilamente. Nós, os Frank, demos uma garrafa de vinho de 1919, os Van Daans (que já estavam agora de bem com ele e podiam dar presentes) deram um vidro de picles e um maço de lâminas de barbear, o Kraler veio com um frasco de xarope de limão, a Miep com um livro e a Elli com uma planta. E ele nos retribuiu com um ovo para cada um.

Sua Anne

QUARTA-FEIRA, 3 DE MAIO DE 1944

Querida Kitty:

Primeiro, as novidades da semana. A política está em férias, não aconteceu nada, absolutamente nada. Pouco a pouco começo a acreditar que a invasão será logo. Impossível deixarem que os russos façam o serviço sozinhos. Aliás, da Rússia, também não há novidades.

O sr. Koophuis vem, de novo, todos os dias ao escritório. Arranjou uma mola nova para o sofá do Peter e agora, apesar de não ter muito jeito, se faz passar por estofador. Também arranjou um pó contra as pulgas dos gatos. Já contei que o Boche foi embora? Desde quinta-feira desapareceu sem deixar vestígios. Deve estar no céu dos gatos, pois provavelmente algum "amigo dos animais" deliciou-se com ele no almoço. Pode ser que alguma menina esteja usando uma touquinha feita com a pele dele. O Peter está desolado.

Desde sábado que lanchamos às onze e meia. No café da manhã, temos de aguentar só com uma papa. Assim economizamos uma refeição. Ainda é difícil conseguir verduras. Hoje tivemos salada cozida que já estava bem passada do ponto. Sempre salada, ou crua ou cozida, e espinafres, com batatas velhas. Uma combinação deliciosa!

Há mais de dois meses que eu não tinha tido o meu incômodo. Finalmente, no sábado apareceu. Apesar de todas as contrariedades e mal-estar, sinto-me contente.

Talvez você não possa compreender que aqui surja tantas vezes a pergunta desesperada: por que e para que é esta guerra? Porque é que os homens não podem viver em paz? Para que tantas destruições? Essas perguntas são legítimas, mas até agora ninguém soube encontrar uma resposta satisfatória. Porque é que na Inglaterra se constroem aviões cada vez maiores, bombas cada vez mais pesadas e, ao mesmo tempo, se reconstroem filas de casas? Porque é que se gastam todos os dias milhões para a guerra se não há dinheiro para a medicina, os artistas e os pobres? Porque é que há homens passando fome se, em outros continentes, apodrecem mantimentos? Porque é que os homens são tão insensatos? Não acredito que a culpa da guerra seja só dos governantes e capitalistas.

Não, o homem da rua também tem a sua culpa, pois não se revolta. O homem nasce com o instinto da destruição, do massacre, da fúria, e enquanto toda a humanidade não sofrer uma metamorfose total, haverá sempre guerras. O que se construiu e cultivou e o que cresceu será destruído, e à humanidade só resta recomeçar. Ando muitas vezes abatida, mas nunca me senti aniquilada. Considero a nossa vida oculta como uma aventura perigosa que é, ao mesmo tempo, romântica e interessante. Sempre quis ter uma vida diferente da das outras garotas. Também não me agrada para o futuro a vida banal das donas de casa. Isto aqui é um bom princípio com muitas coisas cheias de interesse e, mesmo nos momentos mais perigosos, vejo o lado cômico da situação e não posso deixar de rir. Sou jovem e com certeza ainda há em mim boas qualidades por despertar; sou jovem e forte e vivo conscientemente esta grande aventura. Por que vou me lamentar todo o dia? A natureza me deu muito: alegria e força. Cada vez mais, sinto como o meu espírito se desenvolve, sinto a libertação que se está aproximando, sinto como é bela a natureza e como é boa a gente que me rodeia. Por que vou me desesperar?

Sua Anne

SEXTA-FEIRA, 5 DE MAIO DE 1944

Querida Kitty:

O papai está chateado comigo. Pensava que eu, depois da nossa conversa no domingo, não fosse subir todas as noites lá para cima. Não concorda com nosso "agarramento". Detesto essa palavra.

Ainda hoje voltarei a falar com o papai. A Margot me deu alguns bons conselhos. Veja mais ou menos o que pretendo falar para ele:

"Papai, parece que quer uma explicação, então vou dar. É possível que esteja desapontado comigo porque me julgava menos impulsiva. Com certeza queria que eu fosse como as outras garotas de catorze anos ou, melhor, como elas deviam ser. Mas se enganou! Desde que viemos para cá, em julho de 1942, até há poucas semanas, a minha vida não tem sido fácil. Se soubesse quantas vezes chorei de noite, como era infeliz, como me sentia só, então compreenderias melhor porque é que quero estar lá em cima. Não foi de um dia para o outro que consegui chegar a viver sem o apoio da mamãe ou seja de quem for. Tem-me custado lutas duras e muitas lágrimas ter me tornado tão independente como agora sou. Pode rir, talvez não acredite, mas as coisas são como são. Tenho a consciência de ser alguém que sabe responder por si própria. Digo isso para que não pense que tenho segredos, porque, de resto, só me considero responsável perante mim mesma! Quando me debatia com tantas dificuldades, vocês fecharam os olhos e os ouvidos. Não me ajudou, pelo contrário, só me advertia para eu não fazer tanto alarido. Eu era barulhenta porque não queria ser infeliz, eu era travessa porque queria abafar a voz que há dentro de mim. Representei uma comédia, durante ano e meio, dia após dia, sem me queixar, sem perder a linha; lutei até agora e venci. Sou independente de corpo e de espírito, não preciso da mamãe, saí fortalecida de todas as lutas.

E agora que alcancei o meu fim, agora que me impus, vou continuar sozinha o meu caminho, o caminho que me parece ser o melhor. Não pode, nem deve me considerar uma garota de catorze anos. A nossa tragédia tem-me envelhecido, e vou agir como me parece bem. Você, que é a bondade em pessoa, não pode me impedir de ir lá para cima. Ou me proíbe tudo ou tem de ter confiança em mim em todas as circunstâncias. Eu apenas peço: me deixe em paz!".

Sua Anne

SÁBADO, 6 DE MAIO DE 1944

Querida Kitty:

Ontem, antes de jantar, enfiei uma carta no bolso do papai. Escrevi o que expliquei para você. Depois de ler, ficou perturbado o resto da noite. Foi a Margot quem me contou. Eu estava lavando a louça. Pobre Pim!

Devia saber o resultado de uma carta assim. Ele é tão sensível! Avisei logo o Peter para não perguntar mais nada. O Pim não voltou a falar comigo sobre o caso. Será que vai falar?

As coisas aqui vão andando. As novidades que nos vão dando sobre as pessoas lá de fora e sobre os preços são quase inacreditáveis: duzentos e cinquenta gramas de chá custam trezentos e cinquenta florins; meio quilo de café, oitenta florins; meio quilo de manteiga, trinta e cinco; um ovo, quarenta e cinco. Por cem gramas de tabaco búlgaro, pagam catorze florins. Todos fazem negócios "negros". Todos os garotos têm qualquer coisa para vender. O rapaz de recados da nossa padaria arranja linha de costura. Bem pouca e muito fininha, por noventa centavos. É o leiteiro quem arranja os falsos cartões de mantimentos e o pedreiro vende queijos. Todos os dias se registram assaltos, assassinatos e roubos em que, além dos criminosos profissionais, estão muitas vezes envolvidos policiais. Todos querem arranjar alguma coisa para acalmar o estômago, e como o aumento dos salários é proibido, as pessoas recorrem a trambiques.

Não tem nem um dia sem que desapareçam garotas de quinze, dezesseis, dezessete anos ou mais.

Sua Anne

DOMINGO DE MANHÃ, 7 DE MAIO DE 1944

Querida Kitty:

Ontem à tarde, tive uma longa conversa com o papai. Chorei terrivelmente e o papai chorou comigo. Sabe o que me disse?

– Já recebi muitas cartas na minha vida, mas esta foi a mais feia! Você, Anne, a quem os pais dedicaram tanto amor, sempre prontos a defendê-la fosse do que fosse, pretende não nos dar satisfação? Se acha colocada de lado e abandonada? Foi muito injusta conosco, Anne. Talvez não quisesse dizer bem isso, mas escreveu. Não, Anne, nós não merecemos uma tal acusação.

Oh, sim, fui injusta. Nunca cometi ação tão horrível em toda a minha vida! Só pretendi fazer figura com todo aquele palavreado e, com todas as minhas lágrimas, só pretendi chamar a atenção do papai sobre mim. É certo que sofri. Mas culpar o Pim, que é bom, que tudo tem feito por mim e continua a fazer, foi ignorância da minha parte.

Ainda bem que ele me tirou da minha torre de marfim, que o meu orgulho ficou derrotado, pois eu já estava, de novo, sendo muito presunçosa. Porque nem tudo o que faz a Anne é bem feito, nem de longe! Causar uma tal dor a uma pessoa a quem se diz amar, e ainda por cima intencionalmente, é um ato baixo, muito baixo! E o que mais me envergonha é a maneira como o papai me perdoou. Disse que vai queimar a carta e é tão meigo comigo como se tivesse sido ele que se portou mal. Oh, Anne, tem que aprender ainda tanta coisa! Será melhor começar já a aprender, em vez de olhar do alto para os outros, ou de os culpar!

Vivi momentos difíceis. Mas não acontece com todo mundo da minha idade? Representei muitas vezes uma comédia, mas nem sequer tive consciência disso. Sentia-me só, é verdade, mas nunca verdadeiramente desesperada. Devo ter vergonha e tenho muita vergonha!

O que está feito, está feito, mas é sempre tempo de evitar que o mesmo aconteça outra vez. Vou começar pelo princípio e isso não deve ser difícil porque tenho o Peter. Se ele me ajudar, serei capaz! Já não estou só, ele me ama e eu a ele; tenho os meus livros, as histórias que escrevi, o meu diário; não sou feia de todo, não sou estúpida; tenho um feitio alegre e quero muito possuir um bom caráter!

Sim, Anne, você bem sabia que a sua carta era dura demais e que não correspondia à verdade, mas, apesar disso, se sentiu orgulhosa dela. De agora em diante o papai vai ser para mim outra vez o exemplo a seguir e vou me corrigir, na marra.

Sua Anne

SEGUNDA-FEIRA, 8 DE MAIO DE 1944

Querida Kitty:

Pensando bem, nunca lhe contei nada da nossa família, não é? Mas vou contar agora mesmo.

Os pais do meu pai eram muito ricos. O avô venceu pelo seu esforço e a avó descendia de uma família rica e distinta. Assim, meu papai gozou uma juventude de "filhinho de papai": saraus elegantes, todas as semanas, festas, bailes, garotas bonitas, jantares, uma casa grande... Mas depois da outra guerra mundial e inflação, perderam o dinheiro todo. O papai teve, portanto, uma boa educação e, por isso, riu muito ontem à mesa, porque, pela primeira vez numa vida de 55 anos, rapou uma travessa.

Também a mamãe é filha de gente rica e escutamos de boca aberta quando ela nos conta de festas de casamento com duzentos e cinquenta convidados, de grandes bailes e grandes jantares. A nós já ninguém pode chamar ricos, mas tenho boas esperanças de que as coisas se modifiquem depois da guerra. Para ser franca, não me interessa muito uma vida tão simples como a que a mamãe e a Margot ambicionam. Eu, por mim, queria passar um ano em Paris e outro em Londres para poder estudar as diferentes línguas e também história da arte. Agora compare os meus desejos com os da Margot, que quer ser enfermeira-parteira na Palestina. Gosto de imaginar vestidos bonitos e gente interessante, quero ver e viver muitas coisas – já falei disso – e um pouco de dinheiro vai me ajudar.

Hoje de manhã, a Miep nos contou de uma festa de noivado para a qual foi convidada. A noiva e o noivo são de famílias ricas e tudo estava um primor. A Miep causou-nos inveja quando falou da boa comida que serviram: sopa de legumes com bolinhas de carne, pãezinhos de queijo, canapés com ovos, rosbife, bolos, vinho e cigarros e tudo em abundância, claro, que arranjado no mercado negro. Só a Miep bebeu dez drinques – nada mau para uma antialcoólica. Se a Miep chegou a isso, imagino o marido. Claro que toda a gente ficou um pouco "animada". Entre os convidados havia dois policiais militares que tiraram fotografias. Parece que a Miep nunca se esquece dos seus refugiados. Tomou nota dos nomes e dos endereços desses homens para o caso de acontecer alguma coisa e ela ter de recorrer aos bons holandeses. Deu água na boca ouvir sobre comidas deliciosas, nós que só comemos algumas colheres de papa de manhã e depois não sabemos durante horas o que fazer com nossa fome, que comemos todos os dias espinafres malcozidos (por causa das vitaminas) e batatas meio estragadas, que enchemos o estômago com salada, crua ou cozida, com espinafres e outra vez espinafres. Talvez ainda fiquemos tão fortes como o Popeye, mas, por enquanto, não vejo indícios disso.

Se a Miep nos tivesse levado àquela festa, não teríamos deixado ficar nada para os outros convidados. Comíamos as palavras da Miep quando nos agrupamos à volta dela e aquilo dava a impressão de que nunca tínhamos ouvido falar de boa comida e de gente elegante. Justo nós, que somos descendentes de milionários! Acontecem coisas muito estranhas neste mundo!

Sua Anne

> "Para ser franca, não me interessa muito uma vida tão simples como a que a mamãe e a Margot ambicionam. Eu, por mim, queria passar um ano em Paris e outro em Londres para poder estudar as diferentes línguas e também história de arte.

TERÇA-FEIRA, 9 DE MAIO DE 1944

Querida Kitty:

Terminei de escrever a história "Ellen, a fada". Passei-a a limpo em um papel bonito, enfeitei com tinta vermelha e costurei as páginas. Ficou bem bonito, mas não acha pouco para o aniversário do papai? Não sei bem. A mamãe e a Margot fizeram poemas.

Hoje, na hora do almoço, o sr. Kraler nos trouxe a notícia de que a sra. B., que há outros foi propagandista da firma, quer vir passar, a partir da semana que vem, a sua hora de almoço no escritório. Imagine: se ela fizer isso, ninguém poderá subir, as batatas têm de ser entregues a uma outra hora, a Elli não poderá comer aqui, nós não poderemos utilizar o w.c., nem nos movimentarmos, etc, etc.

Estivemos todos inventando pretextos para a fazer desistir. O sr. Van Daan disse que talvez bastasse lhe dar um purgante no café.

– Não – disse o sr. Koophuis –, isso não, por favor. Então ela nunca mais sairá do "trono". Todos riram muito.

– Do "trono"? – perguntou a sra. Van Daan. – O que quer dizer?

Explicamos, e ela falou, toda inocente:

– É assim que se diz?

– Agora, imagine você – cochichou a Elli, rindo – se ela for aos armazéns Bijenkorf e perguntar onde fica o trono!

O Dussel está todos os dias, pontualmente, ao meio-dia e meia, no "trono" – para usar a linda expressão. Enchi-me de coragem e escrevi hoje num pedaço de papel. Colei o papel na porta do w.c. enquanto ele estava lá dentro. Ainda devia ter acrescentado: "Em caso de infração, haverá bloqueio", pois a porta do w.c. tanto pode fechar-se por dentro como por fora.

Ai, Kitty, o tempo está tão bonito. Quem me dera poder sair!

Sua Anne

QUARTA-FEIRA, 10 DE MAIO DE 1944

Querida Kitty:

Ontem, quando estávamos no sótão estudando francês, pareceu que, de repente, ouvi correr água. Perguntei ao Peter o que seria aquilo, mas ele, em vez de responder, correu imediatamente para o telhado, pois já adivinhava a causa do desastre. Pegou o Mouschi e levou-o sem piedade ao lugar próprio. O Mouschi fugiu para baixo. O gato tinha escolhido um lugar no meio da serragem, mas o xixi passou pelas tábuas e pingou, quase todo, no barril das batatas.

As batatas e a serragem cheiravam terrivelmente mal. Pobre Mouschi. Não sabia que anda difícil arrumar areinha para sua caixa!

Sua Anne

P. S.: A nossa amada rainha falou ao povo ontem e hoje à noite. Está de férias, fortalecendo-se para retornar à Holanda. Usou palavras como "logo, quando voltar", "breve libertação", "heroísmo", "pesados encargos". Depois, Gerbrandy fez um discurso. Para terminar, um religioso fez uma oração pedindo a Deus que olhasse pelos judeus, pelos que estavam nos campos de concentração, nas prisões e na Alemanha.

QUINTA-FEIRA, 11 DE MAIO DE 1944

Querida Kitty:

Vai rir com esta história. O Peter precisava cortar o cabelo. A sua mãe, como de costume, quis dar uma de cabeleireira. O Peter desapareceu no seu quarto e, às sete e meia em ponto, voltou de calção de banho e de sapatos de ginástica.

– Vem comigo? – perguntou ele a mãe.

– Vou, mas estou procurando a tesoura.

O Peter ajudou-a a procurar, mas remexeu demais na caixa de "toilette" da sra. Van Daan.

– Não me coloque tudo em desordem! – censurou ela.

Não percebi o que é que ele respondeu, mas deve ter sido coisa malcriada, porque a senhora deu-lhe uma palmada no traseiro; ele pagou-lhe na mesma moeda e, quando ela se preparava para lhe dar outra, ele fugiu dando gargalhadas.

– Ande comigo, minha velhinha! – gritou.

Ela ficou onde estava. Então o Peter agarrou-lhe nos punhos e arrastou-a pelo quarto afora. Ela chorava, ria, ralhava e tentou defender-se. Mas não lhe serviu de nada. O Peter arrastou-a até junto da escada, onde a soltou. A sra. Van Daan voltou ao quarto e, suspirando alto, deixou-se cair numa cadeira.

– O rapto da mamãe! – disse eu rindo.

– Mas ele me machucou!

Fui ver os pulsos que estavam vermelhos e quentes e refresquei com água. O Peter, à espera dela na escada, impacientou-se. Com uma correia na mão, como um domador de feras, apareceu à porta. Mas a sra. Van Daan não ia. Ficou sentada à escrivaninha. E começou a procurar o lenço. Depois disse:

– Primeiro tem de pedir desculpa.

– Está bem, peço desculpa porque está ficando tarde.

Contra sua vontade, ela riu, levantou-se e foi até a porta. Mas ainda achou necessário dar-nos uma explicação, ao meu pai, à minha irmã e a mim, que estávamos lavando a louça.

– Ele não era assim em casa. Se tivesse se atrevido, eu dava-lhe uma bofetada que o teria deitado pela escada abaixo!. Nunca costumava ser tão malcriado, apanhava muitas surras. Agora está sofrendo as consequências da educação moderna. Ai, filhos modernos! Eu teria lá tido coragem de puxar assim pela minha mãe! O sr. Frank fazia coisas dessas à mãe dele?

Estava agitada, corria de um lado para o outro; fez ainda algumas perguntas e só depois de ter demorado muito tempo, é que foi com o filho para cima. Mas passados cinco minutos, voltou a correr, toda zangada, tirou o avental e jogou no chão. Perguntei-lhe se já tinha terminado o serviço. Respondeu-me que precisava ir depressa lá para baixo. Como um furacão, desceu a escada, suponho que para se deixar cair nos braços do seu Putti. Só às oito voltou com ele. Foram buscar o Peter, que teve de ouvir um grande sermão. Choviam palavras como "garoto malcriado", "grosseirão", "mau exemplo", "olhe a Anne...", "a Margot é que...". Não consegui ouvir mais nada.

Amanhã nem pensam mais nisso.

Sua Anne

SEXTA-FEIRA, 12 DE MAIO DE 1944

Querida Kitty:

Talvez pareça fantástico, mas estou tão ocupada neste momento que o tempo não é suficiente para concluir meus estudos. Quer saber o que ainda tenho para fazer? Aí vai: até amanhã preciso acabar a leitura da primeira parte da biografia de Galileu, pois o livro tem de ser entregue na biblioteca. Comecei ontem, mas vou ler tudo. Na próxima semana, quero ler: "Palestina, uma encruzilhada" e o segundo volume do Galileu. Ontem acabei a primeira parte da biografia do Carlos V e agora é urgente atualizar meus apontamentos e as datas genealógicas. Tirei, de vários livros, três páginas cheias de palavras estrangeiras que quero decorar.

A minha coleção de estrelas de cinema está numa desordem aflitiva e tem de ser arrumada. Mas só isso me levaria alguns dias e como a professora Anne", conforme já foi dito, está sufocada de trabalho, o caos daquela coleção tem de ser fatalmente abandonado à sua sorte por mais algum tempo.

Teseu, Édipo, Peleu, Orfeu, Jasão e Hércules estão à minha espera. Os seus feitos históricos confundem-se ainda na minha cabeça como uma trama de fios embaralhados e multicoloridos. Também Byron e Fídias precisam ser estudados para eu não perder a ligação. O mesmo acontece com as Guerra dos Sete e dos Nove Anos. Ando misturando tudo. Mas, que quer que faça quando se tem uma memória tão fraca como a minha? E agora pode imaginar como serei aos oitenta anos! É verdade: ia me esquecendo da Bíblia. Espero não demorar muito para chegar à história do banho de Susana. E o que querem dizer com os crimes de Sodoma e Gomorra? Ai, tanta coisa para perguntar, tanta coisa por aprender! A lieselotte von der Pfalz abandonei por completo.

Você percebe, Kitty, como estou estourando?

E agora outra coisa: você já sabe há muito que o meu maior desejo é vir a ser jornalista e, mais tarde, escritora famosa. Serei capaz de realizar essa minha ambição? Ou será tudo isso uma mania de grandeza ou até uma loucura? Só o futuro dirá. Mas assuntos não me faltam. Vou publicar um livro depois da guerra: *o anexo*. Se serei ou não bem-sucedida, não se pode prever, mas o meu diário servirá de base. Além da história do anexo, tenho outras ideias. Vou falar nelas mais longamente quando tiverem tomado forma.

Sua Anne

“Quer saber o que ainda tenho para fazer? Aí vai: até amanhã preciso acabar a leitura da primeira parte da biografia de Galileu, pois o livro tem de ser entregue na biblioteca. Comecei ontem, mas vou ler tudo.

SÁBADO, 13 DE MAIO DE 1944

Querida Kitty:

Ontem, o aniversário do papai coincidiu com os seus dezenove anos de casado. A faxineira não apareceu lá embaixo no escritório, e o sol brilhava como ainda não tinha brilhado neste ano. O castanheiro está coberto de flores e acho-o ainda mais belo do que no ano passado.

O Koophuis deu ao papai a biografia de Lineu, o Kraler, um livro sobre História Natural, e o Dussel, *Os Canais de Amsterdã*; os Van Daan deram um cesto tão maravilhosamente enfeitado que nem um artista faria melhor, contendo três ovos, uma garrafa de cerveja, um frasco de iogurte e uma gravata verde. O nosso frasco de geleia quase desaparecia ao lado daquilo. As rosas que lhe ofereci cheiravam muito bem, mas os cravos da Miep e da Elli não têm cheiro nenhum, embora sejam lindíssimos. O papai não pode se queixar. Vieram cinquenta pastéis, que coisa maravilhosa! O papai, por sua vez, ofereceu doce e uma garrafa aos homens e iogurte para as senhoras. Foi uma festa ótima!

Sua Anne

TERÇA-FEIRA, 16 DE MAIO DE 1944

Querida Kitty:

Já que há tanto tempo não tenho falado neste assunto, vou reproduzir hoje uma discussão que tiveram ontem o sr. e a sra. Van Daan.

A sra. Van Daan:

– Os alemães devem ter reforçado o Muro do Atlântico. Com certeza farão tudo o que puderem para impedir que os ingleses desembarquem. É espantoso que os alemães tenham tanta força.

O sr. Van Daan:

– É verdade, é horrível.

Ela:

– Sim... sim!

Ele:

– No fim os alemães ainda ganham a guerra. São tão fortes!

Ela:

– Provavelmente. Ainda não me convenci do contrário.

Ele:

– É melhor eu não dizer mais nada.

Ela:

– Mas você me responde sempre. Não consegue ficar calado.

Ele:

– Afinal, as minhas respostas não dizem nada.

Ela:

– Mas mesmo assim quer responder e quer ter sempre razão. As suas profecias estão longe de dar certo.

Ele:

– Até agora nunca me enganei.

Ela:

– É mentira. Previu a invasão para o ano passado, nos seus cálculos, a Finlândia já devia ter assinado a paz, a Itália teria ficado liquidada no inverno e os russos já teriam tomado Lwow. Oh! Não, eu não dou nada pelas suas profecias.

Ele (levanta-se):

– Cale a boca! Vai ver que tenho sempre razão, ao passo que você se farta de dizer tanta asneira que já não posso mais com isso. O que eu devia fazer era lhe esfregar o nariz na sua própria estupidez.

Cai o pano.

P. S.: Tive vontade de rir e a mamãe também. O Peter quase não conseguiu conter uma gargalhada. Oh, esses estúpidos adultos. Deviam começar a aprender as coisas em vez de ficar criticando constantemente os jovens!

Sua Anne

SEXTA-FEIRA, 19 DE MAIO DE 1944

Querida Kitty:

Ontem me senti horrivelmente mal, tive dores de barriga e todos os males imagináveis. Hoje já estou melhor. Tenho fome, mas não posso comer os feijões escuros. Com o Peter, tudo vai bem; o pobre do rapaz ainda sente mais necessidade de carinho do que eu. Continua a corar todas as vezes que nos despedimos com um beijo de boa noite e depois me pede mais outro. Serei para ele uma substituta melhorada do Boche? Mas não faz mal. Ele sente-se tão feliz por ter a certeza de que alguém o ama!

Depois dessa conquista difícil, domino mais a situação, mas não pense que por isso o meu amor enfraqueceu. Não enfraqueceu; o meu íntimo é que voltou a se fechar. Se ele quiser forçar a fechadura outra vez, precisará de uma alavanca muito forte!

Sua Anne

> “ *E agora outra coisa: Já sabe há muito que o meu maior desejo é vir a ser jornalista e, mais tarde, escritora famosa. Serei capaz de realizar essa minha ambição?*

SÁBADO, 20 DE MAIO DE 1944

Querida Kitty:

Quando, ontem de noite, descia do quarto do Peter, vi o vaso de cravos no chão, a mamãe de joelhos limpando a água e a Margot pescando os meus papéis.

– O que aconteceu? – perguntei apreensiva, procurando alcançar com os olhos todos os estragos.

Tudo nadando: as minhas pastas das árvores genealógicas, os cadernos, os livros. Estava quase chorando. Fiquei tão impressionada que nem consigo lembrar-me do que falei.

A Margot me contou depois que eu disse palavras como "danos incalculáveis, horrível, medonho, irreparável!".

O papai deu uma gargalhada, a mamãe e a Margot também, mas eu só conseguia chorar por causa do tempo perdido que tinha dedicado àqueles apontamentos tão cuidadosamente elaborados. Mas, vendo bem as coisas, os danos "incalculáveis" não eram assim tão grandes e, sentada no chão, separei com cautela os papeizinhos colados uns aos outros e, depois, pendurei-os no varal de roupas.

Aquilo era um espetáculo engraçado e me deu vontade de rir: Maria de Médici ao lado de Carlos V, e Guilherme de Orange ao lado de Maria Antonieta.

– Isso é uma profanação! – gracejou o sr. Van Daan.

Pedi ao Peter que tomasse conta da minha papelada e desci.

– Quais livros ficaram estragados? – perguntei à Margot, que estava examinando o meu tesouro de livros.

– O de álgebra. – respondeu ela.

Mas, infelizmente, o livro de álgebra não estava totalmente estragado. Quem me dera que ele tivesse caído mesmo dentro da jarra. Nunca tive tanta antipatia por um livro. Logo ao abri-lo, lemos os nomes de umas vinte pessoas que já estudaram por ele; é um livro velho, amarelecido, cheio de rabiscos e de correções. Quando estiver em um dos meus dias de atrevida e travessa, vou rasgar aquela droga em mil pedaços.

Sua Anne

SEGUNDA-FEIRA, 22 DE MAIO DE 1944

Querida Kitty:

O papai perdeu, em 20 de maio, numa aposta com a sra. Van Daan, cinco frascos de iogurte. A invasão, de fato, ainda não veio. Não será exagero se eu disser que em toda a cidade de Amsterdã, em toda a Holanda, em toda a costa ocidental da Europa até a Espanha, só se fala e se discute, dia e noite, sobre a invasão. Todos apostam, todos têm esperança.

A tensão aumenta e está ficando insuportável. Afinal, nem todas as pessoas que nós julgávamos bons holandeses mantêm a sua confiança nos ingleses. Os homens querem ver grandes façanhas, atos heroicos. Ninguém consegue ver um palmo diante do nariz, ninguém quer se lembra que os ingleses defendem a sua própria terra, todos julgam que eles têm obrigação de salvar, o mais depressa possível, a Holanda. Mas quais são as obrigações dos ingleses para conosco? O que fizeram os holandeses para merecer um auxílio tão nobre, como esperam com tanta certeza? Os holandeses que não se admirem se se enganarem.

No fim, os ingleses não têm feito mais má figura do que todos os outros países, e países vizinhos que estão agora ocupados. Os ingleses não precisam se desculpar quando os acusamos de terem dormido durante todos aqueles anos em que os alemães se armaram, pois os outros países, em especial os que estão mais próximos da fronteira alemã, também estiveram dormindo.

Não adianta nada fazer como a avestruz, isso já reconheceram os ingleses e o resto do mundo. É por isso que os aliados, todos juntos e cada um por si, e a Inglaterra sobretudo, se veem obrigados a fazer pesados sacrifícios. Não há

> “A invasão, a libertação, a liberdade, tudo virá um dia, mas a Inglaterra e a América é que vão fixar as datas e não os habitantes dos países ocupados. Reina o antissemitismo nos círculos onde antigamente nem se pensava em tal coisa. Isso nos impressionou profundamente.

país nenhum que tenha vontade de sacrificar os seus homens só para o bem de um outro país, e a Inglaterra não é diferente.

A invasão, a libertação, a liberdade, tudo virá um dia, mas a Inglaterra e a América é que vão fixar as datas e não os habitantes dos países ocupados. Reina o antissemitismo nos círculos onde antigamente nem se pensava em tal coisa. Isso nos impressionou profundamente.

A causa desse ódio contra os judeus talvez se compreenda e se explique, mas a verdade é que se trata de um equívoco. Os cristãos censuram os judeus e dizem que eles se rebaixam perante os alemães, que denunciam os seus protetores e que muitos cristãos têm, por culpa dos judeus, sofrido terríveis provações. Pode ser que haja alguma verdade, mas, como em todas as coisas, há o reverso da medalha.

O que fariam os cristãos se estivessem no lugar dos judeus? Será fácil a alguém manter-se firme e correto com os métodos usados pelos alemães? Todos sabem que é quase impossível. Então, porque é que se exige o impossível dos judeus? Nos grupos ilegais da resistência, corre o boato de que os judeus alemães, há tempos emigrados para a Holanda e agora deportados para a Polônia, nunca mais poderão regressar.

Tinham direito de asilo na Holanda, mas logo que Hitler tiver desaparecido, serão forçados a voltar para a Alemanha. Ao ouvir coisas assim, surge a pergunta: para que se faz esta guerra tão dura e tão longa? Diz-se sempre que lutamos todos juntos pela verdade, pela liberdade e pelos direitos do homem. E afinal a discórdia começa enquanto ainda se luta, e já outra vez o judeu é inferior aos outros? Oh, como é triste que o velho dito se verifique mais uma vez: "Os atos de um cristão são da sua própria responsabilidade. Mas tudo o que faz qualquer judeu recai sobre todos os judeus!"

Com franqueza, não compreendo que os holandeses, esse povo bom, honesto e leal, nos condene assim, a nós que somos o povo mais oprimido, mais infeliz de todos os povos do mundo. Só me resta esperar isto: que o ódio aos judeus seja apenas passageiro e que os holandeses voltem a mostrar-se como são na realidade! Tomara que voltem a não vacilar no seu sentido de justiça. Porque o antissemitismo é uma injustiça!

Gosto da Holanda. Esperei sempre que um dia me servisse de pátria, a mim, que já não tenho pátria. E continuo a ter essa esperança!

Sua Anne

QUINTA-FEIRA, 25 DE MAIO DE 1944

Querida Kitty:

Todos os dias acontecem coisas desagradáveis. Hoje de manhã, prenderam o nosso bom quitandeiro que tinha escondido em casa dois judeus. Foi um golpe muito duro para nós, não só por causa daqueles judeus que estão agora à beira do abismo, mas também por causa do pobre quitandeiro.

O mundo está às avessas. Pessoas corretas e boas são enviadas para os campos de concentração, para as prisões e para as celas solitárias, enquanto a ralé governa sobre os velhos, os jovens, os ricos e os pobres. Um é apanhado porque se dedicava ao mercado negro, outro porque protegia judeus ou outros escondidos. Ninguém sabe o que o espera amanhã.

Também para nós o quitandeiro significa uma perda tremenda. A Miep e a Elli não podem carregar o saco de batatas e a nossa única saída é comer menos. Como conseguiremos isso, ainda vamos descobrir, mas digo que não vai ser divertido. A mamãe propõe suprimir o café da manhã e comer a papa no almoço, e, à noite, batatas fritas e, talvez, uma ou duas vezes por semana, um pouco de salada e de legumes. Isso quer dizer: passar fome. Mas todas essas privações são preferíveis a sermos descobertos.

Sua Anne

SEXTA-FEIRA, 26 DE MAIO DE 1944

Querida Kitty:

Finalmente posso sentar-me tranquilamente à minha mesinha, junto da janela ligeiramente entreaberta, e escrever. Há meses que não me sinto tão triste como hoje, nem depois do assalto estive assim tão infeliz, moral e fisicamente. De um lado, o quitandeiro, o problema dos judeus que está sendo o tema do dia aqui em casa, a invasão que esperamos, a péssima alimentação, a tensão nervosa, a má disposição, a minha decepção com o Peter; por outro lado, o pedido de casamento da Elli, Pentecostes, flores, os anos do sr. Kraler, bolos, relatórios sobre filmes, cabarés e concertos. Esses contrastes, esses terríveis contrastes. Um dia, rimos das situações cômicas que a nossa vida secreta traz consigo, no dia seguinte, temos medo e não raras vezes lemos nos rostos uns dos outros o receio, a tensão nervosa, o desespero.

A Miep e o Kraler, mais do que quaisquer outros, suportam, por via de nós, grandes encargos. A Miep por lhe causarmos muito trabalho, o Kraler por ter assumido uma responsabilidade colossal que, às vezes, lhe pesa demais e o deixa tão nervoso que quase não consegue pronunciar uma palavra. O Koophuis e a Elli também se encarregam bem das nossas coisas, muito bem até, mas são capazes de se esquecer, de se abstrair do anexo, mesmo que seja apenas por umas horas, por um ou dois dias. Eles têm outras preocupações, o Koophuis por causa da sua saúde, a Elli por causa do noivo com quem nem tudo vai às mil maravilhas, e, além disso, têm distrações, visitas e a vida toda que para eles corre de uma maneira normal. Podem libertar-se às vezes dessa tensão de nervos que a nós nunca nos abandona. Já há dois anos que estamos aqui e por quanto tempo seremos ainda capazes de resistir a essa pressão insuportável que, de dia para dia, vai crescendo?

A canalização está entupida; não podemos deixar correr a água a não ser gota a gota; só podemos ir ao w.c. munidos de uma escova; guardamos a água suja num panelão. O que é que vai ser se o encanador não vier arrumar os canos? O serviço municipal de higiene só virá a este prédio na outra semana.

A Miep mandou para nós um pão grande com uvas e junto um papel onde se lia: "Feliz Pentecostes". Parece quase um escárnio, pois a nossa disposição e o nosso medo são tudo, menos "feliz". Estamos cada vez com mais medo desde que aconteceu aquilo ao quitandeiro. De todos os lados se ouve, outra vez, "pssit, pssit", andamos de um lado para o outro sem fazer ruído.

No quitandeiro, a polícia arrombou a porta; aqui, pode fazer o mesmo. E se aqui... não, não quero falar nisso! Mas a pergunta não se deixa afastar facilmente, pelo contrário: aquele medo por que passei uma vez ergue-se de novo na minha frente em toda a sua monstruosidade.

Esta noite, às oito horas, deixei a sala onde estávamos todos reunidos à volta do rádio e desci sozinha ao w.c. Quis ser corajosa, mas foi difícil. Sinto-me mais segura aqui em cima do que embaixo, onde a casa me parece tão grande e calada e onde estou sozinha com os ruídos misteriosos que vêm de cima e os toques das buzinas que vêm da rua. Começo a tremer, não consigo me demorar e tenho de fazer esforços para não pensar na nossa situação.

Pergunto-me muitas vezes se não teria sido melhor, para todos nós, não termos nos escondido e estarmos mortos sem precisar sofrer toda essa miséria, sobretudo sem termos exposto os nossos protetores a tantos perigos também. Mas, no fundo, não queremos aceitar tal ideia, porque ainda amamos a vida, não nos esquecemos ainda da voz da natureza, ainda esperamos, esperamos que aconteça algo de bom.

Que Deus faça com que aconteça alguma coisa e, se for necessário, que haja grandes bombardeios; nada nos pode desgastar mais do que esta inquietação. Que venha o fim, mesmo que seja duro, mas, ao menos, que fiquemos sabendo se vencemos ou se morremos.

Sua Anne

QUARTA-FEIRA, 31 DE MAIO DE 1944

Querida Kitty:

Sábado, domingo, segunda e terça, fez tanto calor que não consegui segurar a caneta na mão; por isso não pude escrever. Na sexta, a canalização voltou a ficar entupida e, no sábado, arrumaram. À tarde, recebemos a visita da sra. Koophuis, que nos contou muitas coisas da Gorrie.

A Gorrie e o Jopie são membros do Jockey-Club. No domingo, apareceu a Elli para ver se a casa não foi assaltada e ficou para o almoço.

Na segunda-feira (segundo feriado do Pentecostes), o Henk Van Santen ficou de guarda no esconderijo e, na terça, pudemos, finalmente, abrir outra vez um pouco as janelas. É raro haver dias tão quentes nos feriados do Pentecostes. Mas, para nós, aqui no anexo, o calor é ruim. Vou dar uma ideia.

Sábado:

– Que tempo maravilhoso! – exclamaram todos logo pela manhã cedo.

– Quem me dera que não houvesse tanto calor! – disseram na hora do almoço, quando as janelas têm de estar fechadas.

Domingo:

– O calor é insuportável. A manteiga derrete. Não há um cantinho fresco em toda a casa, o pão está seco, o leite estragado, e não podemos abrir as janelas. Ai de nós, somos párias e estamos aqui sufocando enquanto os outros festejam o Pentecostes.

Segunda-feira:

– Doem-me tanto os pés, não tenho roupa leve, não posso lavar a louça com um calor destes – assim falou a sra. Van Daan.

Foi horrível. Também não gosto do calor e hoje estou contente por correr um ventinho e por brilhar o sol ao mesmo tempo.

Sua Anne

SEGUNDA-FEIRA, 5 DE JUNHO DE 1944

Querida Kitty:

Outro acontecimento desagradável: nós, os Frank, brigamos com o Dussel, e por causa de uma coisa sem importância: a distribuição da manteiga. O Dussel ficou derrotado. Agora há grande amizade entre ele e a sra. Van Daan, uma espécie de flerte com beijinhos e sorrisos. A primavera faz mal para o Dussel.

Roma foi tomada pelo Quinto Exército, sem devastações nem bombardeios. Poucas verduras, poucas batatas. Tempo mau. O estreito de Calais e a costa francesa constantemente bombardeados.

Sua Anne

“Começou a invasão! De manhã, às oito horas, os ingleses noticiaram: bombardeios pesados sobre Calais, Boulogne, Le Havre e Cherbourg e, como de costume, sobre o estreito de Calais.

TERÇA-FEIRA, 6 DE JUNHO DE 1944

Querida Kitty:

"*Este é o dia D*", disse ao meio-dia a rádio inglesa e com razão! "*This is the day*". Começou a invasão! De manhã, às oito horas, os ingleses noticiaram: bombardeios pesados sobre Calais, Boulogne, Le Havre e Cherbourg e, como de costume, sobre o estreito de Calais.

Mais: medidas de segurança para todos os habitantes das zonas ocupadas. Todos os habitantes de uma zona que abrange até trinta e cinco quilômetros da costa devem preparar-se para bombardeios pesados. Se for possível, os ingleses lançarão folhetos com uma hora de antecedência.

Segundo as notícias alemãs, tropas de paraquedistas conseguiram lançar-se na costa francesa. A BBC anuncia: "A marinha alemã combate contra os barcos ingleses do desembarque".

Discussões no anexo às nove horas, hora do café da manhã:

– Será isso um desembarque de ensaio como aquele de Dieppe, há dois anos?

Às dez horas, emissão inglesa em alemão, holandês, francês e outras línguas: "The invasion has begun!". Trata-se portanto de uma invasão autêntica. Transmissão inglesa às onze horas, em alemão: discurso do comandante-geral, o general Dwight Eisenhower.

Transmissão inglesa em inglês ao meio-dia: "*This is the day*". O general Eisenhower fala ao povo francês:

– *Still fighting will come now. But after this the victory. The year 1944 is the year of complete victory, good luck!*

Transmissão inglesa à uma hora: onze mil aviões voam continuamente de um lado para o outro para desembarcar tropas e lançar bombas atrás das linhas. Quatro mil barcos e outras pequenas embarcações despejam, entre Cherbourg e Le Havre, sem interrupção, tropas e material. Tropas inglesas e americanas estão lutando arduamente. Discursos de Gerbrandy, do primeiro-ministro da Bélgica, do rei Haakon da Noruega, de De Gaulle da França, do rei da Inglaterra, sem esquecer, claro, o de Churchill.

O anexo está em delírio. Será então verdade que a libertação, há tanto ansiada, a tão discutida libertação, está próxima? Não será isso maravilhoso demais, fantástico demais para se tornar realidade? O ano de 1944 trará, de fato, a vitória? Não sabemos ainda, mas a esperança nos anima, dá nova coragem, nos torna fortes, pois precisamos de coragem para podermos suportar o medo, as privações, o sofrimento; agora, o essencial é conservarmo-nos calmos e firmes. Mais do que nunca, tenho de cerrar os dentes para não gritar. Agora são a França, a Rússia, a Itália e também a Alemanha que podem gritar de tanto sofrer, mas nós ainda não temos esse direito!

Oh! Kitty, o mais maravilhoso disso tudo é que tenho o pressentimento de que amigos estão se aproximando! Os horríveis alemães oprimiram-nos e ameaçaram-nos tanto tempo, que só de pensar, agora, que se aproximam amigos, nos restitui a confiança. Agora não se trata só dos judeus. Agora trata-se da Holanda e de toda a Europa. A Margot diz que eu talvez já possa voltar à escola em setembro ou outubro.

Sua Anne

PS.: Vou sempre contar para você as últimas novidades:

Durante a noite e logo de manhã cedo, desembarcaram bonecos de palha atrás das linhas alemãs, que explodiram logo que tocaram o chão. Desembarcaram também muitos paraquedistas, que estavam pintados de preto para se confundirem com a escuridão da noite. De manhã, a primeira lancha de desembarque chegou à praia depois que a costa foi bombardeada durante a noite com cinco milhões de quilos de bombas. Vinte mil aviões estiveram hoje em ação. Tudo vai bem, embora o tempo esteja mau. O exército e o povo são uma só vontade e esperança.

Sua Anne

SEXTA-FEIRA, 9 DE JUNHO DE 1944

Querida Kitty:

A invasão corre às mil maravilhas. Os aliados tomaram Bayeux, uma aldeia na costa francesa, e lutam agora por Calais. Compreende-se bem que querem cercar a península onde fica Cherbourg. Todas as noites, os correspondentes de guerra relatam as dificuldades, a coragem e o entusiasmo do exército. Também ouvimos falar dos feridos que tiveram de voltar para a Inglaterra. Apesar do mau tempo, os aviões levantam sempre voo. Pela BBC, ficamos sabendo que Churchill quis tomar parte na invasão, mas que o general Eisenhower e os outros generais o aconselharam a desistir dessa ideia. Imagine a coragem daquele homem que já tem setenta anos de idade!

Aqui não tem mais tanta excitação, mas esperamos todos que a guerra acabe finalmente no fim deste ano. E já não será sem tempo! As lamentações da sra. Van Daan estão insuportáveis. Agora que já não nos pode massacrar com a invasão, queixa-se todo dia do mau tempo. Tenho vontade de enfiá-la num balde de água fria.

Sua Anne

TERÇA-FEIRA, 13 DE JUNHO DE 1944

Querida Kitty:

O meu aniversário passou mais uma vez. Agora tenho quinze anos. Recebi muitas coisas: "A História de Arte", de Springer, em cinco volumes; um jogo de roupas de baixo; dois cintos; um lenço; dois frascos de iogurte; um frasco de geleia; um bolo; um livro de Botânica, do papai e da mamãe. A Margot me deu uma pulseira dupla, os Van Daans, um livro, o Dussel, ervilhas-de-cheiro; a Miep e a Elli, doces e cadernos. E ainda a melhor surpresa: o livro "Maria Teresa" e três fatias de queijo autêntico, do sr. Kraler. Do Peter, recebi um belo ramo de begônias. O pobre rapaz tentou conseguir algo diferente, mas não foi possível.

A invasão continua em pleno progresso, apesar do mau tempo, das ventanias medonhas e das chuvas torrenciais sobre o mar.

Churchill, Smuts, Eisenhower e Arnold visitaram ontem as aldeias francesas que foram conquistadas e libertadas pelos ingleses. Churchill esteve num torpedeiro que bombardeou a costa. Esse homem, como tantos outros, parece não ter medo. Que coisa tão invejável!

Daqui do anexo não podemos sondar o moral dos holandeses. Sem dúvida, as pessoas estão contentes porque a "indolente" Inglaterra resolveu botar a mão na massa. Todos aqueles holandeses que, embora odiando os alemães, continuam a olhar de cima para os ingleses e a chamar a Inglaterra de covarde e o seu governo de "regime dos homens velhos" têm de levar uma sacudida com força. Talvez os seus cérebros confusos fiquem com as ideias no lugar.

Sua Anne

QUARTA-FEIRA, 14 DE JUNHO DE 1944

Querida Kitty:

Muitos desejos, muitos pensamentos, muitas acusações e censuras se confundem na minha cabeça como fantasmas. Pode acreditar: não sou tão presunçosa como algumas pessoas julgam. Conheço melhor os meus inúmeros defeitos do que qualquer outra pessoa. Só há uma diferença: é que eu sei que tenho vontade de me corrigir e que, em certa medida, já me corrigi. Muitas vezes me pergunto porque é que tanta gente me acha convencida e pouco modesta. Sou assim tão convencida? É defeito só meu? Tem por aí muita gente convencida. Parece que essa última frase é doida, mas não a risco porque não é tão doida como parece. A sra. Van Daan, a minha acusadora número um, é conhecida como pouco inteligente, para falar a verdade, conhecida como estúpida. E as pessoas estúpidas, de uma maneira geral, não perdoam que os outros saibam mais do que elas. A sra. Van Daan me acha estúpida por eu não ser tão lenta de compreensão como ela. Ela me acha pouco modesta porque é ainda menos. Acha os meus vestidos curtos demais porque os dela são ainda mais curtos. E, afinal, me considera convencida porque ela se mete muito mais do que eu em assuntos de que não entende patavina.

Gosto muito do ditado "onde tem fumaça, tem fogo". Então admito que às vezes sou convencida.

Eu sou a pessoa que mais me critica e censura. Como a mamãe junta a isso a sua porção de conselhos, o montão de sermões torna-se tão grande que eu, desesperada por não conseguir dominá-lo, torno-me insuportável e malcriada, e a isso segue-se, como é natural, a minha velha queixa: "Ninguém me compreende".

> “*Até as pessoas mais reservadas têm vontade de se abrir com alguém, mesmo que seja uma única vez.*

Às vezes, me torturo com tantas acusações contra mim mesma que seria preciso uma voz reconfortante para me ajudar a repor tudo no devido lugar. Essa voz tem que ser sadia e também se preocupar um pouco com a minha vida interior. Mas, infelizmente, procurei muito e nunca encontrei.

Sei que pensa agora no Peter, não é verdade, Kitty? Sim, o Peter me ama, não como um apaixonado, mas como um amigo. Sua dedicação cresce a cada dia, mas não sei explicar esse mistério que nos separa. Às vezes, penso que o meu violento desejo de estar com ele é exagerado. Mas a verdade é que eu, depois de não ter estado lá em cima durante dois dias, sinto grandes saudades como nunca tive.

O Peter é gentil e bom, mas não posso negar que muita coisa nele me decepciona. Não gosto da maneira como ele reprova a religião; as suas conversas sobre comidas. Mas tenho a certeza de que, conforme combinamos, nunca vamos nos desentender. O Peter é pacífico, tem bom gênio e cede facilmente. Aceita melhor as minhas observações do que as da mãe dele e faz um esforço enorme para manter a ordem nas suas coisas. Mas porque é que não se abre comigo, porque é que não me deixa tocar o seu íntimo? A sua natureza é muito mais reservada do que a minha, sei bem por experiência. Até as pessoas mais reservadas têm vontade de se abrir com alguém, mesmo que seja uma única vez. O Peter e eu passamos os dois anos mais importantes para a nossa formação aqui no anexo. Falamos muitas vezes sobre o passado, o presente e o futuro, mas, como eu já disse, sinto falta de qualquer coisa de mais autêntico; e eu tenho certeza de que essa coisa existe.

Sua Anne

QUINTA-FEIRA, 15 DE JUNHO DE 1944

Querida Kitty:

Terei eu agora tanto interesse pela natureza por não poder, há tanto tempo, sair deste buraco? Ainda lembro que antigamente não me fascinavam os pássaros a cantar, o céu azul e brilhante, as flores e o luar. Por exemplo, no Pentecostes, naquele calor, fiz todos os esforços para me conservar acordada às onze e meia, para poder absorver sozinha o luar pela janela. Infelizmente não me serviu de nada, porque a lua brilhava com tanta claridade que não pude arriscar-me a abrir a janela. Uma outra vez, isso já foi há vários meses, estava eu, por acaso, lá em cima e vi que a janela tinha ficado aberta.

Enquanto ninguém veio fechá-la, deixei-me ficar. A noite chuvosa, a ventania, as nuvens em fuga, tudo isso tomou totalmente conta de mim. Depois de ano e meio, foi pela primeira vez que me vi cara a cara com a noite. Desde então, o meu desejo de viver outra vez momentos assim tornou-se mais forte do que o medo dos ratos, dos ladrões e dos assaltos. Descia, muitas vezes sozinha, para o andar de baixo, para olhar pela janela do escritório particular ou da cozinha.

Muita gente ama a natureza, muitos dormem ao relento. Há outros que estão nas prisões e nos hospitais e anseiam pelo dia em que possam gozar o ar livre, mas poucos estão como nós, tão fechados e isolados daquilo que, ao fim e ao cabo, nos pertence a todos igualmente, aos ricos e aos pobres. Não é em imaginação que fico mais calma e que me encho de esperança quando olho o céu, as nuvens, a lua e as estrelas. É um remédio melhor do que a valeriana e o bromo. A natureza me torna um ser humilde, torna-me capaz de suportar melhor todos os golpes. É, no entanto, inevitável que eu só a possa contemplar através das janelas sujas com cortinas cheias de pó, o que diminui o meu prazer, pois a natureza é a única coisa que não pode ser imitada ou substituída.

Sua Anne

SEXTA-FEIRA, 16 DE JUNHO DE 1944

Querida Kitty:

Novos problemas! A sra. Van Daan está desesperada. Fala em balas na cabeça, em prisão, enforcamento, suicídio. Tem ciúmes porque o Peter confia em mim e não nela. Está ofendida porque o Dussel não corresponde ao seu assédio e tem medo que o marido gaste todo o dinheiro do seu casaco de peles. Discute, chora, reclama, ri e começa de novo a discutir. O que fazer com uma chorona assim? Ninguém a leva a sério. Ela não tem caráter, reclama de todo mundo e se veste com roupas inadequadas. Vista de costas, parece uma menina de liceu, vista de frente, é uma peça de museu. O pior é que o Peter fica malcriado com ela, o sr. Van Daan se irrita e a mamãe fica cínica. Uma linda situação, não há dúvida! Para isso há só um remédio: rir de tudo e não ligar para os outros! Pode parecer egoísta, mas é a única defesa para quem tem que se consolar por conta própria.

O Kraler foi novamente convocado para cavar trincheiras. Está vendo se consegue um atestado médico e uma carta da firma. O Koophuis tem de fazer outra operação no estômago. Ontem, às 11 horas, todos os telefones particulares foram cortados.

Sua Anne

SEXTA-FEIRA, 23 DE JUNHO DE 1944

Querida Kitty:

Nada de especial para contar. Os ingleses começaram com a grande ofensiva sobre Cherbourg. O Pim e o sr. Van Daan acham que estaremos livres em outubro. Os russos também estão ativos. Ontem começaram a sua ofensiva em Witebsk, exatamente três anos depois da invasão dos alemães.

Quase não temos mais batatas. De agora em diante, vão ser contadas e divididas para que cada um se vire.

Sua Anne

TERÇA-FEIRA, 27 DE JUNHO DE 1944

Querida Kitty:

Melhoram os ânimos. Cherbourg, Witebsk e Slobin caíram hoje. Muitos prisioneiros, muita pilhagem. Na batalha de Cherbourg, morreram cinco generais alemães e dois ficaram prisioneiros.

Agora os ingleses podem desembarcar o que quiserem, pois já têm um porto. Controlam toda a península de Cotentin, depois de três semanas. Grande conquista! Nestas três semanas, desde o Dia D, ainda não houve um único dia sem chuvas e ventanias, tanto aqui como na França. Nem essa má sorte impede os ingleses e os americanos de mostrarem a sua força. E que força! Dizem que a "V-2", a arma secreta, também entrou em ação, mas tais foguetes pouco mais significam do que pequenos danos na Inglaterra e grandes relatos nos jornais dos alemães. Aliás, se na terra dos nazistas souberem que o perigo está chegando, vão tremer como varas verdes.

Todas as mulheres e crianças alemãs que não trabalham para os militares são evacuadas das regiões da costa para Groningen, Friesland e Gelderland. Mussert declarou que vestirá o uniforme, caso a invasão venha até aqui. Será que o gorducho vai lutar? Podia ter lutado faz tempo, na Rússia. A Finlândia, que tinha recusado, há tempos, as propostas de paz, rompeu de novo as negociações. Vão se arrepender, os idiotas.

Como estarão as coisas no dia 27 de julho? O que é que você pensa?

Sua Anne

SEXTA-FEIRA, 30 DE JUNHO DE 1944

Querida Kitty:

Mau tempo ou: *bad weather at a stretch to the 30th of June*. Está bem assim? Oh, sim, já sei muito inglês. Estou lendo *An ideal husband* (com o dicionário).

As notícias de guerra são excelentes. Bobruisk, Mogilew e Orscha caíram. Muitos prisioneiros. Aqui tudo *all right*, a disposição também. Os nossos superotimistas venceram. A Elli mudou de penteado. A Miep tem uma semana de férias. Aqui estão as últimas novidades.

Sua Anne

QUINTA-FEIRA, 6 DE JULHO DE 1944

Querida Kitty:

Fico de coração apertado quando Peter fala que ainda poderá se tornar um criminoso ou um especulador. Sei que ele diz aquilo por brincadeira, mas tenho a impressão de que tem medo da sua própria fraqueza de caráter. Tanto a Margot como o Peter me repetem constantemente:

– Ah, se eu fosse tão forte e corajosa como você, se tivesse tanta força de vontade, tanta persistência...

Será que não me deixar influenciar é mesmo uma boa qualidade? Estará certo seguir quase exclusivamente o caminho que me dita a minha consciência?

Com toda a franqueza, não compreendo que alguém diga "sou fraco" e continue fraco. Se conhecemos os nossos defeitos por que não tentamos então corrigi-los? Resposta do Peter:

– Porque assim é muito mais fácil.

Essa resposta me decepcionou muito. Fácil! Quer dizer que prefere uma vida de preguiça e mentira? Oh, não, não, recuso-me a acreditar nisso. Não é possível que a moleza e o dinheiro sejam tão atraentes. Pensei muito tempo no que lhe responder, em como poderei levar o Peter a ter confiança em si próprio e, principalmente, a se corrigir. Mas não sei se vai dar certo.

Considerava maravilhoso ter a confiança de alguém, mas só agora vejo como é difícil me identificar com os pensamentos do outro e dar um conselho justo, tanto mais que os conceitos de fácil e dinheiro são para mim novos e um tanto estranhos.

O Peter começa a se apoiar em mim e acho que não devia ser assim. Não é fácil para um rapaz como o Peter aguentar-se sobre as próprias pernas, mas ainda lhe custará mais na medida em que se for tornando um homem consciente à procura de um caminho na vida, através de um mar de problemas. Sinto-me como se andasse em volta de mim mesma, procurando uma justificação para o terrível conceito de fácil. Como eu poderei explicar para ele que aquilo que aparentemente é tão fácil e tão bonito o arrastará para o abismo, esse abismo onde já não há nem amigos, nem beleza, nem apoio, o abismo de onde é quase impossível tornar a subir?

Todos vivemos sem saber por que e para que, todos procuramos ser felizes, todos vivemos de um modo diferente e, no entanto, somos todos iguais. Nós, os três jovens, fomos educados num ambiente elevado, temos a capacidade de aprender e de conseguir alguma coisa, temos igualmente razão para esperar uma vida bela, mas... depende de nós merecê-la. Para isso é necessário esforço, não basta buscar a comodidade.

Merecer a felicidade quer dizer trabalhar para ela, ser bom e não se deixar seduzir por especulações ou pela preguiça. Talvez a preguiça pareça coisa agradável, mas o trabalho dá satisfação. Não compreendo as pessoas que não gostam de trabalhar, mas não é esse o caso do Peter. Para Peter só falta uma finalidade, um objetivo firme; ele se acha estúpido e inferior para conseguir coisa boa. Pobre rapaz, ainda não conheceu a sensação agradável que é dar felicidade aos outros e isso não posso ensinar. Não tem religião, troça de Jesus, renega o nome de Deus. Embora eu não seja ortodoxa, sinto uma dor profunda ao notar o seu desdém, a pobreza da sua alma.

Aqueles que têm uma religião podem se sentir felizes, pois não é dada a todos a fé nas coisas celestes. Nem precisa ter medo do castigo depois da morte. Há muita gente que não admite o purgatório, o inferno ou o céu, mas uma religião, não importa qual, mantém os homens no caminho certo. Não se trata do medo de Deus, e sim da nossa própria honra e consciência. Como seria bela e boa toda a humanidade se, antes de adormecer à noite, evocasse os acontecimentos do dia que passou, se refletisse o que foi bom e o que foi ruim.

Assim, quase sem perceber, tentamos nos corrigir constantemente, e depois de certo tempo, alguma coisa conseguimos. Todo mundo pode usar esse método, não custa nada, está ao alcance de quem quiser. Quem não conhece deve aprender e experimentar: "Uma consciência tranquila nos torna fortes!".

Sua Anne

“ *Merecer a felicidade quer dizer trabalhar para ela, ser bom e não se deixar seduzir por especulações ou pela preguiça.*

SÁBADO, 8 DE JULHO DE 1944

Querida Kitty:

O representante principal da firma, o sr. B, esteve em Beverwijk, onde conseguiu arranjar morangos. Chegaram aqui cheios de pó e de areia, mas são muitos caixotes para o escritório e para nós. Fizemos imediatamente oito potes de geleias e compotas. Amanhã, a Miep também vai fazer compota para o escritório. Ao meio-dia e meia, quando já não há mais estranhos no prédio, e com a porta da rua fechada, buscamos as caixas.

O Peter, o papai e o sr. Van Daan desfilam na escada, a Anne traz a água quente, a Margot os baldes, enfim, todos ajudaram. Com uma sensação estranha no estômago, entrei na cozinha do escritório: a Miep, a Elli, o Koophuis, o Henk, o papai, o Peter, a turma dos escondidos e a do reabastecimento, tudo misturado em pleno dia. Sei que ninguém pode olhar aqui dentro através das cortinas, mas as vozes, as portas a bater, tudo isso me faz tremer de aflição. Pergunto-me se estamos mesmo escondidos, penso que terei uma sensação semelhante quando puder um dia entrar, de novo, no mundo exterior. A panela estava cheia. Subi depressa. Na nossa cozinha estava o resto da família tirando os talos dos morangos. Colocavam mais frutos na boca do que no balde. Daí a pouco era preciso mais um balde.

O Peter desceu à cozinha do escritório e, nesse momento, a campainha toca duas vezes. O Peter deixa ficar o balde, sobe para fechar a porta giratória. Nós, cheios de impaciência! Não podíamos abrir as torneiras, embora os morangos precisassem urgentemente ser lavados. Mas a regra do esconderijo é esta: "Se estiver algum estranho no prédio, todas as torneiras devem estar fechadas por causa do perigo dos ruídos". E essa regra seguimos rigorosamente.

À uma hora, Henk veio nos informar que tinha sido o carteiro quem tocara a campainha. O Peter corre de novo escada abaixo. Trrim, a campainha outra vez. E o Peter volta a subir. Eu fico na escuta, primeiro encostada à porta camuflada, depois em cima da escada, sem fazer o menor ruído. O Peter vem também e, por fim, parecíamos dois ladrões dependurados no corrimão escutando o barulho lá embaixo. Não distinguíamos nenhuma voz que nos fosse estranha. Então o Peter desceu muito cautelosamente alguns degraus e chamou:

– Elli!

Não veio resposta. Outra vez:

– Elli!

O barulho na cozinha é mais alto do que a voz do Peter. Ele então desce e eu olho para baixo, muito nervosa.

– Suba depressa, ande, Peter, está aqui o fiscal da contabilidade!

Era a voz do sr. Koophuis. Suspirando, o Peter volta. A porta giratória se fecha. À uma e meia, veio, finalmente, o Kraler.

– Por amor de Deus! Não vejo senão morangos. Me dão morangos de café da manhã, vejo Henk comendo morangos, Koophuis beliscando morangos, a Miep cozinhando morangos, cheiro a morangos por toda parte.

Já não aguentava mais e resolvi subir até aqui, e o que vejo? Gente lavando morangos!

Do resto dos morangos fizeram conservas. À noite, as tampas de dois frascos saltaram fora. O papai tira os morangos e faz compota. Na manhã seguinte, outras duas tampas saltam. Na hora do almoço, mais quatro. O sr. Van Daan não esterilizou os frascos suficientemente. E agora o papai faz todas as noites compota. Comemos papinhas com morangos, soro de leite com morangos, pão com morangos, sobremesa de morangos, morangos com açúcar, morangos com areia... Durante dois dias, os morangos andaram por toda parte: morangos, morangos, morangos. Depois não se viram mais, os frascos de compota ficaram bem fechados à chave.

– Venha aqui ver, Anne, chame a Margot. A mulher do quitandeiro da esquina mandou nove quilos de ervilhas.

– Acho simpático da parte dela – disse eu. – Acho mesmo muito simpático, mas o trabalho que isso dá... que horror!

– No domingo de manhã vocês todos têm de ajudar a descascar! – anunciou a mamãe à mesa.

E assim foi. Hoje de manhã, depois do café da manhã, apareceu em cima da mesa o grande panelão esmaltado cheio de ervilhas. Debulhar ervilhas pequeninas é um trabalho aborrecido, mas o que custa é aproveitar as cascas das vagens. Sei que a maioria das pessoas não faz ideia de como são saborosas as cascas das ervilhas depois que retiramos a película. A grande vantagem está em se poder comer muito mais do que se nos limitássemos apenas aos grãos. Tirar as pelezinhas é um trabalho preciso e minucioso que, talvez, seja mais próprio para dentistas meticulosos e burocratas mesquinhos. Para uma garota impaciente como eu é horrível.

Começamos às nove e meia; às dez e meia resolvi fazer um intervalo de uma hora. Os ouvidos zumbem: cortar a ponta, tirar a pelezinha, depois os fios, colocar as ervilhas na panela, etc. Foge-me a vista: verde, verde, bichos, fios, cascas podres, verde, verde, verde.

Fiquei abobada e, para fazer alguma coisa, passei a falar durante todo o tempo. Ao falar bobagens, faço todo mundo rir. É que fico com a sensação de morrer de aborrecimento. A cada fiozinho que tiro, mais me convenço de que nunca quererei ser apenas dona de casa!

Ao meio-dia, comemos, finalmente. Mas ao meio-dia e meia, começamos de novo a tirar peliculazinhas até a uma hora e um quarto. Quando chegamos ao fim, eu estava enjoada e os outros também. Dormi até as quatro horas, mas ainda me sinto toda moída de tanta ervilha.

Sua Anne

SÁBADO, 15 DE JULHO DE 1944

Querida Kitty:

Lemos um livro da biblioteca com o título maravilhosamente provocante: "O que pensa você da garota moderna?". Quero lhe falar hoje sobre esse tema. A autora critica, dos pés à cabeça, a "juventude de hoje" sem, no entanto, acusar tudo quanto é jovem de "não servir para nada". Pelo contrário, ela pensa que a juventude, se quisesse, poderia construir um mundo maior, mais belo e melhor. Diz que a juventude tem os meios para isso, mas se preocupa com assuntos superficiais, sem reparar no que há de essencialmente belo nas coisas. Ao ler certos parágrafos, tive a impressão de ser atingida. Por isso, quero desabafar aqui com alguns pensamentos e defender-me contra aqueles ataques.

Tenho um traço marcante no meu caráter que todos os que me conhecem sabem: a autocrítica. Vejo-me em todos os meus atos como se se tratasse de uma pessoa estranha. Enfrento essa Anne com absoluta imparcialidade, sem pretender desculpá-la e observo o que ela faz de mal e de bem. Essa autocontemplação nunca me larga e não posso pronunciar uma palavra sem pensar logo em seguida: "Devia ter dito isso de outra maneira" ou: "Foi bem dito".

Condeno muitas vezes os meus atos e reconheço cada vez mais a verdade das palavras de meu pai: "Cada criança deve educar-se a si própria". Os outros só nos podem dar conselhos ou indicar-nos o caminho a seguir, mas a formação definitiva do caráter está nas próprias mãos de cada indivíduo. A isso devo acrescentar que tenho uma coragem extraordinária de viver, sinto-me sempre forte e capaz de suportar seja o que for.

Sinto-me tão livre, tão jovem! Quando me dei conta disso pela primeira vez, fiquei contente, pois não supunha que eu pudesse enfrentar os golpes da vida. Mas sobre esse assunto já falei muitas vezes. Deixe-me chegar ao ponto principal: "O papai e a mamãe não me entendem". Deram-me muitos mimos, foram sempre bons comigo, defenderam-me, em resumo: fizeram tudo o que os pais podem fazer. Mesmo assim, tenho me sentido, muitas vezes, terrivelmente só, posta de parte, incompreendida.

O papai tem feito tudo para atenuar os meus protestos, mas em vão; fui eu mesma que me curei, reconhecendo os erros dos meus atos. Mas como se explica que o papai não me possa ter dado o necessário apoio na minha luta? Como se explica que ele tenha falhado quando me oferecia o seu auxílio? O papai falhou porque não conseguiu encontrar a maneira de falar comigo, tratava-me como uma criancinha que só tem preocupações infantis. Pode parecer tolice eu dizer isso, pois foi justamente o papai quem me inspirou sempre a ter confiança e me deu a certeza de que sou inteligente. Mas há uma coisa em que se esqueceu de pensar: é que a minha luta para me elevar era mais importante para mim do que tudo o mais. Eu não queria ouvir: "Sintomas típicos... Outras garotas... isso passa", etc. Não queria ser tratada como todas as meninas, mas como um ser com personalidade própria, como a Anne.

Foi isso o que o Pim não soube compreender. No mais, não é possível me abrir com alguém que não me fale também de si. Como sei muito pouco da vida do Pim, nunca poderá estabelecer-se entre nós uma intimidade completa. O Pim coloca-se sempre no ponto de vista do mais velho que também passou por coisas semelhantes, mas que já não pode sentir e viver o que vive um jovem, embora tente fazê-lo. Tudo isso me levou a nunca comunicar a ninguém a minha concepção da vida e as minhas teorias longamente meditadas, a não ser de vez em quando para a Margot.

Tudo o que me preocupava escondia do papai, não o deixei partilhar comigo os meus ideais e, conscientemente, afastei-me dele. Não me foi possível ser diferente, deixei-me conduzir pelos sentimentos, mas agi de modo a encontrar sossego. E o meu sossego e a confiança em mim mesma, que fui construindo sobre bases oscilantes, talvez não resistissem se eu tivesse de suportar críticas a essa minha obra ainda não acabada. E nem ao Pim posso permitir que se meta. Por mais duro que isso possa soar, afastei-o de mim, não o deixando partilhar da minha vida interior, principalmente pela minha irritabilidade. É um ponto que me preocupa constantemente. Porque é que o Pim me irrita tanto a ponto de não poder estudar com ele, de me parecerem artificiais os seus carinhos, de desejar só o meu sossego e que ele me deixe em paz até eu possuir mais segurança íntima? A verdade é que ainda me censuro por causa daquela carta vil que ousei lhe escrever num momento de descontrole. Oh! Como é difícil ser forte e corajosa em todas as circunstâncias.

Mas essa ainda não é a minha decepção mais grave: muito mais do que o papai, me preocupo com o Peter. Sei bem que fui eu quem o conquistou e não o contrário; construí dele uma visão idealizada, vi nele um rapaz simpático, calado, sensível, precisando de muito amor e de amizade. Tive necessidade de abrir-me com um ser vivo, com um amigo que me mostrasse o caminho a seguir. Consegui que ele, pouco a pouco, fosse atraído por mim. Finalmente, depois de ter despertado nele sentimentos amigáveis, passamos a intimidades que me parecem, agora, inconcebíveis. Falamos sobre muitas coisas íntimas, mas sobre aquelas que me enchem o coração ainda não dissemos palavra.

Não me foi possível, até agora, fazer uma ideia exata do Peter; é ele um rapaz superficial ou não consegue vir francamente ao meu encontro por ser tímido? Mas eu cometi um erro grave: eliminei, logo de entrada, todas as possibilidades de uma grande amizade entre nós tentando aproximar-me dele com uma intimidade exagerada. Ele está ávido de amor e cada vez gosta mais de mim, sinto. O nosso convívio o satisfaz plenamente, mas em mim produz apenas o efeito de tentativas renovadas para recomeçar e tocar nos assuntos que tanto gostaria de abordar e de esclarecer. Atraí o Peter à força, e ele nem se deu conta disso. Agora agarra-se a mim e, por enquanto, não vejo como vou recolocá-lo sobre os seus próprios pés. Depois de ter percebido que ele não pode ser para mim o amigo que ansiava, esforcei-me para o elevar acima dos seus pontos de vista limitados e para que não desperdice a sua juventude. "Pois, no fundo, a juventude é mais solitária do que a velhice". Encontrei essa frase num livro e a memorizei porque achei verdadeira.

Nossa vida aqui é mais difícil de suportar para os adultos do que para nós? Não, com certeza não! As pessoas com mais idade já têm opiniões formadas sobre todas as coisas e já não vacilam, não hesitam perante as dificuldades da sua vida. A nós, os jovens, é difícil ficarmos firmes nos nossos pareceres por vivermos numa época que se mostra seu lado mais horroroso, em que se duvida da verdade, do direito, de Deus!

Aquele que afirmar que os mais velhos sofrem mais aqui no anexo do que nós, os jovens, não sabe ver até que ponto os problemas desabam sobre nós, problemas para os quais talvez ainda não tenhamos idade, mas que se impõem de um modo violento. Em determinada altura, julgamos ter encontrado uma solução, mas essa solução, de uma maneira geral, não resiste aos fatos que são sempre tão diferentes. Eis a dificuldade do nosso tempo: mal começam a germinar em nós ideais, sonhos, belas esperanças, logo a realidade cruel se apodera de tudo isso para o destruir totalmente.

É por milagre que eu ainda não renunciei a todas as minhas esperanças, na verdade tão absurdas e irrealizáveis. Mas eu agarro-me a elas, apesar de todos e de tudo, porque tenho fé no que há de bom no homem. Não me é possível construir a vida tomando como base a morte, a miséria e a confusão. Vejo o mundo se transformar num deserto, ouço, cada vez mais forte, a trovoada que se aproxima, essa trovoada que vai nos matar. Sinto o sofrimento de milhões de seres e, mesmo assim, quando ergo os olhos para o céu, penso que, um dia, tudo isso voltará a ser bom, que a crueldade chegará ao fim e que o mundo virá a conhecer de novo a ordem, a paz, a tranquilidade. Até lá, tenho que manter firme os meus ideais – talvez ainda os possa realizar nos tempos que virão.

Sua Anne

SEXTA-FEIRA, 21 DE JULHO DE 1944

Querida Kitty:

Estou cheia de esperanças, tudo vai bem! Sim, vai mesmo muito bem! Notícias sensacionais. Houve um atentado contra Hitler, mas, imagine, os autores não foram comunistas, judeus ou capitalistas ingleses, mas sim um general alemão da nobre raça germânica, e, ainda por cima, um general ainda jovem! A "Providência Divina" salvou a vida do Führer e ele escapou infelizmente, com alguns arranhões e queimaduras. Alguns oficiais e generais que andavam com ele morreram ou ficaram feridos. O autor principal foi fuzilado. Esse atentado é a melhor prova de que muitos oficiais estão fartos desta guerra e que veriam com prazer o Hitler afundar-se nos mais profundos precipícios. Querem, depois da morte de Hitler, instalar uma ditadura militar, fazer as pazes com os aliados, rearmar-se, para desencadear uma nova guerra daqui a vinte anos. Talvez a Providência tenha hesitado, de propósito, em afastar Hitler desde já, pois aos aliados é melhor, muito mais vantajoso, que os alemães arianos puros se matem uns aos outros. Assim, haverá depois menos canseira para os russos e para os ingleses, que poderão mais depressa começar a reconstruir as suas cidades. Mas ainda não chegamos a esse ponto e eu não quero antecipar-me aos fatos gloriosos. Você eve estar vendo que tudo o que estou dizendo é a realidade nua e crua, uma realidade com os dois pés fincados no chão, e que eu, excepcionalmente, não estou a delirar com ideias superiores.

Hitler teve a amabilidade de comunicar ao seu povo dedicado que os militares, de hoje em diante, terão de obedecer à Gestapo e que qualquer soldado, se souber que um superior esteve implicado nesse atentado tão covarde e tão baixo, poderá meter-lhe, sem cerimônias, uma bala na cabeça.

Vai ser bonito. Hans está com os pés doloridos de tanto marchar; o seu superior, o chefe, dá-lhe um safanão. O Hans pega na espingarda e grita: "Você quis matar o nosso Führer, toma a recompensa. Pum!". O orgulhoso chefe que se atreveu a censurar o pequeno soldado foi despachado para a vida eterna (ou será para a morte eterna?). O resultado vai ser este: os senhores oficiais vão andar sempre com as calças sujas de tanto medo e não se atreverão mais a dizer seja o que for a um simples soldado. Compreendeu tudo? Pulo de um assunto para outro. Estou contente demais para observar a lógica, contente por ter esperanças de que em outubro estarei, de novo, sentada nos bancos da escola. Olá, não disse há pouco que não devo me antecipar? Não fique brava. Não é por acaso que me chamam "um feixe de contradições".

Sua Anne

“ *É por milagre que eu ainda não renunciei a todas as minhas esperanças, na verdade tão absurdas e irrealizáveis. Mas eu agarro-me a elas, apesar de todos e de tudo.*

TERÇA-FEIRA, 1º DE AGOSTO DE 1944

Querida Kitty:

"Um feixe de contradições". Foi essa a última frase da minha carta anterior e é a primeira da de hoje. "Um feixe de contradições", você pode explicar-me, com exatidão, o que isso quer dizer? O que é contradição? Como todas as palavras, têm dois sentidos: contradição exterior e contradição interior.

O primeiro sentido é este: não nos conformarmos com a opinião dos outros, querer saber tudo melhor, querer ter a última palavra, enfim: qualidades desagradáveis que você já conheces suficientemente. O segundo: qualidades que também tenho, que ninguém conhece e que são o meu segredo.

Já lhe contei uma vez que não tenho só uma alma, mas sim duas. Uma me dá a minha alegria exuberante, as minhas zombarias a propósito de tudo, a minha vontade de viver e a minha tendência para deixar correr, isto é, para não me escandalizar com flertes, abraços ou uma piada inconveniente. Essa primeira alma está sempre à espreita e faz tudo para suplantar a outra, que é mais bela, mais pura, mais profunda. Essa alma boa da Anne ninguém a conhece, não é verdade? E é por isso que tão poucas pessoas gostam de mim.

Sei que veem em mim um palhaço divertido para uma tarde. Depois ficam cheios de mim por um mês. No fim de contas, sou como um filme romântico para gente sisuda, uma simples distração, um divertimento. Alguma coisa que se esquece depressa, não exatamente má, mas também nada de especial. Não me é agradável contar isso, mas, por outro lado, por que não havia de contar se é a pura verdade? Esse meu lado superficial tentará sempre afastar o outro, o mais profundo, e alcançará, por isso, a vitória. Você não pode fazer ideia de quantas vezes tenho tentado repelir, espancar ou esconder essa Anne, que não passa da metade daquilo que se chama Anne; mas não serve de nada, e bem sei por quê. Tenho medo de que todos os que me conhecem, tal como costumo ser, possam descobrir o meu outro lado, o mais belo, o melhor.

Tenho medo de que trocem de mim, me achem ridícula e sentimental, e não me levem a sério. Estou habituada a não ser tomada a sério, mas é justamente a Anne mais fácil que suporta isso; a "mais profunda" não tem forças para tanto. Empurro às vezes a boa Anne para a luz da ribalta, mesmo que seja por um escasso quarto de hora, mas logo que ela tem de falar, contrai-se e fecha-se de novo na sua concha, passando a palavra à Anne número 1. E antes que eu me dê conta, já a boa desapareceu.

É por isso que a Anne terna e simpática nunca vem à superfície na presença das outras pessoas, mas é a sua voz que domina na solidão. Sei exatamente como gostaria de ser, sei como sou no íntimo, mas, infelizmente, só sou assim quando estou sozinha comigo. E isso é, talvez, não seguramente, a razão por que chamo à minha natureza íntima uma natureza feliz e porque os outros chamam feliz à minha natureza exterior. No meu interior, a Anne pura é que me indica o caminho; exteriormente, não passo de um cabritinho que pula de alegria e de animação.

Como eu já disse, vejo e sinto as coisas de um modo e exteriorizo-as de outro e tenho, por isso, a fama de ser uma rapariga doida por rapazes, sempre a flertar, sempre impertinente e sempre lendo romances. A Anne alegre ri, dá respostas atrevidas, encolhe os ombros com indiferença, como se isso nada tivesse que ver com ela, mas, ai de mim! A Anne calada reage ao contrário. Como sou sempre franca, confesso que tenho pena, que me esforço terrivelmente por me modificar, mas que luto sempre contra forças superiores às minhas. Dentro de mim uma voz sussurra:

–Vê o resultado?

Más opiniões a seu respeito, caras trocistas e consternadas, gente que a acha antipática, e tudo isso porque não quer ouvir os conselhos do seu próprio lado bom. Ai, bem que eu queria ouvir, mas não pode ser; quando estou calada e séria, todos pensam que estou a representar uma nova comédia. Para me salvar só me resta dizer uma piadinha. Pior ainda quando se trata da minha família, que imagina logo que estou doente e me impinge pastilhas contra as dores de cabeça e o nervosismo, que me toma o pulso a ver se tenho febre, que pergunta como funciona o aparelho digestivo para, em seguida, censurar o meu mau gênio.

Não suporto semelhante coisa. Quando me tratam dessa maneira, torno-me ainda mais impertinente, fico triste e, por fim, viro o meu coração do avesso, com o lado mau para fora, o bom para dentro, e continuo a procurar um meio para vir a ser aquela que gostaria de ser, que era capaz de ser, se... não houvesse mais ninguém no mundo.

Sua Anne

Aqui termina o diário.

O QUE ACONTECEU DEPOIS

A última anotação no Diário de Anne Frank foi no dia 1° de agosto de 1944. No dia 4 de agosto, o esconderijo foi descoberto e todos foram presos. Ficaram todos em Westerbork, maior campo de concentração alemão na Holanda. No dia 3 de setembro, amontoados em vagões de gado, os judeus foram levados para Auschwitz, o mais famoso centro de extermínio na Polônia ocupada. Kraler e Koophuis ficaram na Holanda alguns meses e foram libertados.

Edith Frank morreu em 5 de janeiro, em Auschwitz. Anne e Margot foram enviadas, no final de outubro de 1944, para Bergen-Belsen, na Alemanha. Contraíram tifo e morreram provavelmente em março de 1945. Foram sepultadas anonimamente em valas comuns.

O anexo secreto foi saqueado e destruído durante a batida policial. Miep e Elli, que não foram presas, recolheram e guardaram o Diário de Anne Frank e o entregaram a Otto Frank, quando ele retornou ao local depois da guerra.

A família chamada de Van Daan no diário de Anne Frank tinha o nome real de Van Pels. Hermann, o pai, morreu na câmara de gás. Petronella, a mãe, também não sobreviveu, mas não há registros da data em que morreu, em Theresienstandt, na Boêmia, hoje parte da República Tcheca, para onde foi enviada em abril de 1945. Peter foi conduzido para a longa marcha da morte, juntamente com mais onze mil prisioneiros, de Auschwitz a Mauthausen, na Áustria, onde morreu em maio de 1945.

Dussel, cujo nome real era Fritz Pfeffer, morreu em 1944 no campo de concentração de Neuengamme, perto de Hamburgo, na Alemanha.

Koophuis, que estava doente, foi libertado em setembro de 1944 do campo de Amersfoot, na Holanda. Viveu em Amsterdã até sua morte, em 1959.

Kraler escapou da prisão em março de 1945, emigrou para o Canadá em 1955 e morreu em Toronto em 1989.

Bep morreu em Amsterdã em 1983 e Miep completou 100 anos e viveu até janeiro de 2010, enquanto seu marido faleceu em 1993.

Otto Frank escapou por milagre, pois tinha sido enviado para um hospital em novembro, e ali ainda se encontrava quando o campo foi libertado pelas forças soviéticas em 27 de janeiro de 1945. Juntamente com alguns poucos sobreviventes, ele foi removido para a Galícia e finalmente chegou ao porto de Odessa, no mar Negro, onde um navio neozelandês o conduziu de volta à Europa.

Em novembro de 1953, Otto Frank se casou com Elfriede (Fritzi) Geiringer-Markovits, que tinha sobrevivido em Auschwitz junto com sua filha Eva. Em 1953, o casal se mudou para Basileia, na Suíça, onde moravam os parentes de Otto. Alguns anos depois, Otto e Fritzi Frank se mudaram para Birsfelden, também na Suíça. Otto morreu em 1980. Foi ele o principal divulgador do Diário de Anne Frank. Criou, em 1963, uma fundação com o nome da filha, na Suíça.

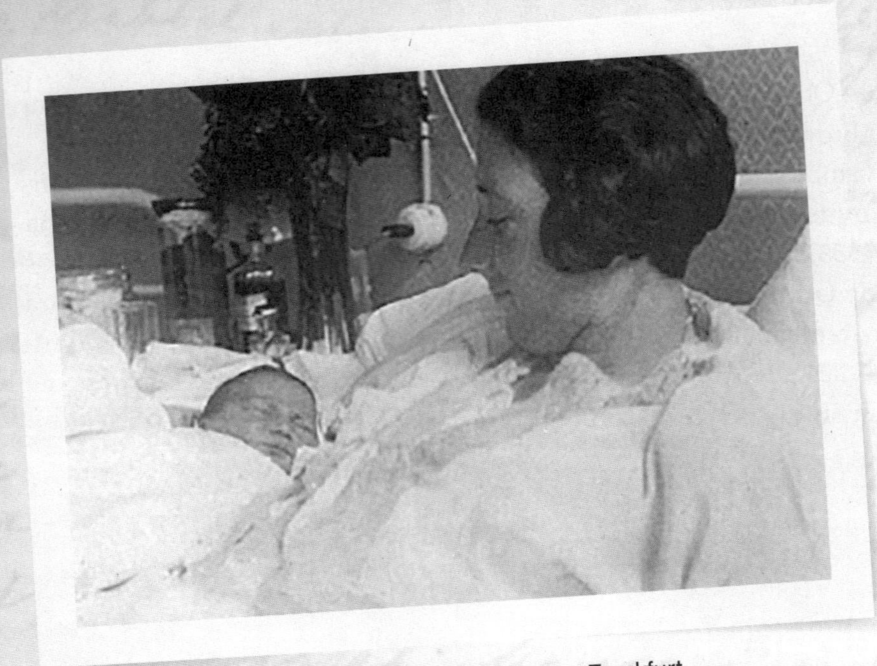

Anne, recém-nascida, com sua mãe, Edith, em Frankfurt.

Edith e Frank, em viagem de lua de mel.

Kleiman e Klueger, dois dos grandes benfeitores da família Frank.

O prédio localizado no nº 263 de Princesengracht, em Amsterdã, onde hoje funciona o Museu Anne Frank.

Entrada do esconderijo, chamado de anexo secreto. Uma engenhosa estante giratória com livros camuflava a passagem.

A escada que dá passagem ao pavimento de dois andares onde as oito pessoas se esconderam por dois anos.

Única foto da família unida, na Praça Merwedeplein, em Amsterdã, em 1941.

A família indo ao casamento de Miep e Jan, em 16 de julho de 1941.

Johannes Kleiman, no escritório.

Miep viveu até os 100 anos, em Amsterdã, onde faleceu em 2010.

Anne, 1940.

Miep e Jan Gies, no dia do casameto, em julho de 1941.

O diário, em exibição na exposição "Anne Frank, Uma História para Hoje".

As irmãs Frank, Margot e Anne.

Otto Frank em seu escritório, onde foi o esconderijo secreto, mostra o braço tatuado no campo de concentração.

Otto, Anne e Margot Frank, 1931.

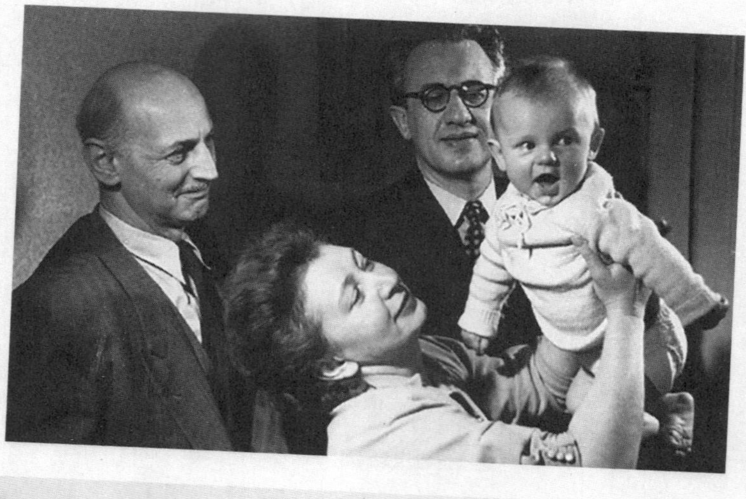

Miep com o marido e o filho, Paul, em 1951, em Amsterdã, ao lado de Otto Frank.

Cena do especial da RAI, TV italiana, "Minha querida Anne Frank", de 2009.

Anne Frank (destacada na foto), na escola, em Amsterdã, 1936.

Edith com Anne e Margot, em 10 de março de 1933, em Frankfurt.

Anne Frank, 1941.

Dit is een foto, zoals
ik me zou wensen,
altijd zo te zijn.
Dan had ik nog wel
een kans. om naar
Holywood te komen.

Annefrank.
10 Oct. 1942

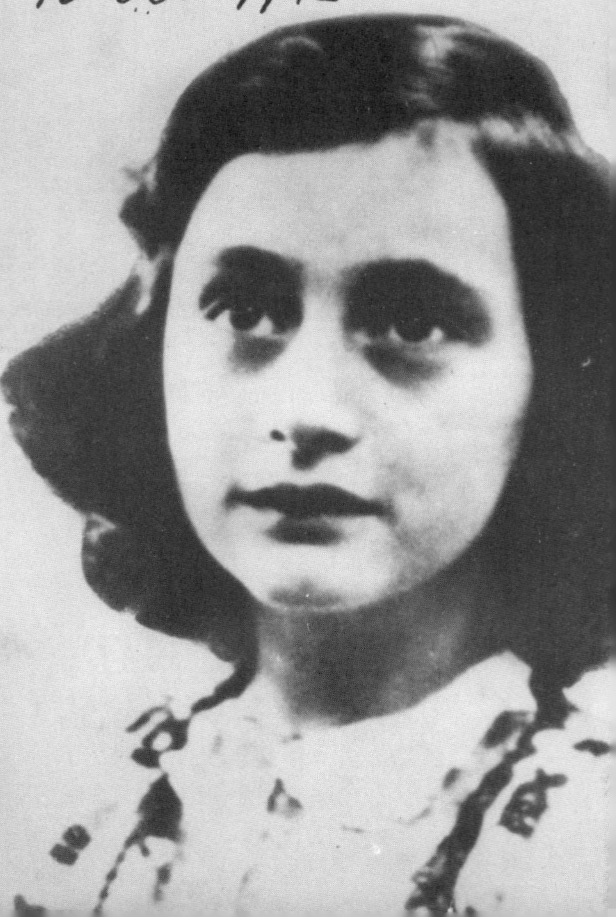

"Esta é uma fotografia minha de como eu gostaria de ficar para sempre. Então, talvez eu pudesse ter a chance de ir para Hollywood."

Anne Frank, 10 de outubro de 1942